JN162961

［改訂２版］

女性診療で使える ヌーベル漢方 処方ノート

西洋医学＋漢方医学による
診断・治療のすすめかた

近畿大学東洋医学研究所所長・教授
東北大学医学部産婦人科客員教授
武田 卓

MC メディカ出版

改訂2版刊行にあたって

本書を出版してから、５年が経過しようとしています。皆さんに支持していただいたおかげで、初版を完売することができました。メディカ出版さんから、改訂版出版のお話をいただき、本書を出版することになりました。

５年の間には、当然ですが医療の進歩があり、産婦人科領域でも新しい治療薬が登場しています。漢方は古代中国由来の伝統医学なので、５年くらいでは何の進歩もないんじゃないかと思われる方も多いかとは思いますが、漢方薬の治療効果や治療メカニズム解析に関する新しい知見が国際的な英文ジャーナルにどんどん掲載されています。本書は、漢方だけでなく簡単な女性診療の入門書を目指していますので、今回の改訂では最新のガイドラインを参考にし、西洋医学的にup to dateな内容にするのは当然ですが、漢方治療の部分に関しても新しい知見を取り込むように努力しました。

また５年の間には、新型コロナウイルス感染症（COVID-19）のパンデミックに代表される大きな社会変動からの、ストレスの増大が認められます。女性はストレスに対して脆弱な集団であることが知られており、女性診療におけるストレス対策は以前よりも増して重要になってきています。漢方製剤にはアンチストレス効果のある製剤も多く、依存や習慣性といった副作用のない漢方製剤の活用がますます期待できると思います。そこで、今回の改訂では抗不安作用としての漢方治療に関する部分を意識して強化しました。

初版を出版後に気が付いたのは、小児・思春期に関する項目が欠如していた点です。女性診療の開始時点とも考えられる時期であり、小児科・産婦人科・内科の境界にあって、実は非常に重要な時期と考えられるため、新しい節として追加しました。さらに、５年間に私自身が患者さんとのやりとりから学んだことや、本書を読んでいただいた皆さんからの質問なども新しくコラムとして盛り込んでみました。

女性活躍促進において女性診療の充実は重要ですが、産婦人科医だけでなく、他の家庭医の先生方やメディカルスタッフの皆さんが理解することも重要だと思います。初版に対しては、漢方以外の西洋医学的なところももう少し記載してほしいとの要望もいただきました。そこで、産婦人科を専門とされる先生方に役立つのはもちろんですが、一般内科医やメディカルスタッフの方にも十分役立つ書籍となることをさらに意識して改訂を行いました。本書が、女性診療に携わる多くの皆さんのお役に立てば幸いです。

2022年7月

武田　卓

本書を手に取られた皆さんへ ―初版序文

Q1 本書のタイトルにある、「ヌーベル漢方」とは何でしょう？

西洋医学・漢方治療医学の両者の特徴を生かす「和洋折衷ハイブリッド漢方」を料理の世界の「ヌーベルシノワ」（中華料理にフランス料理の良いところを取り入れたもの）にならって、「ヌーベル漢方」と名付けてみました。西洋医学に漢方をうまく組み合わせていく手引きとなるのが本書の一番のねらいです。私は、産婦人科医としての西洋医学的なキャリアを積み重ねるうちに、漢方も専門的に診療するようになりました。現在は、東洋医学研究所の所長ですが、産婦人科での診療も併せて行っており、「ヌーベル漢方」を実践しています。

Q2 22,107、14,707……、何の数字かわかりますか？

それぞれ、アマゾンで検索した英会話と漢方の本の総数です。どちらもなかなか身につかなくて、その結果がこのすごい数字に表れているのだと思います。また、「女性患者は、月経、妊娠、更年期障害などの女性ホルモンがらみの、男性にはない症状が多くて対応が難しい」と思っておられる内科医や臨床研修医も多いのではないでしょうか？ でも、どこの診療科でも、患者さんの半分は女性なのです。総合診療医を目指すような先生であれば、ちょうど本書に記載されたありふれた疾患は西洋医学的にも理解しておく方がよいと思います。産婦人科の専門医であれば、ピルなどのホルモン剤を使用して対応できる場合も多いですが、やはり専門外の薬剤を使うのにはハードルが高いと思います。その点、漢方は知識があれば誰でも簡単に使用できそうです。

そうです。この本は、皆さんが苦手とする、漢方と女性診療のup to dateを同時に勉強できる初めての入門書を目指しています。入門書とはいっても、西洋医学的に最新のガイドラインや文献をきっちりカバーしています。そういう意味では、産科や腫瘍をメインに診療されていて、婦人科のホルモン関係は苦手だという先生方にもきっと役に立つと思います。

本書を効果的に使用するにあたっての特徴や注意点をご紹介します。

① 難しい漢方の理屈は極力避けるようにしましたが、実際の診療を行う際に最低限知っておいた方がよい事項は総論中に記載しました。漢方を知らない先生には耳慣れない単語（例えば、瘀血）も出てくると思いますが、我慢して読み流してください。ほかの漢方の書籍に比べると、難しい漢方の理屈はかなり少ないと思います。

② 漢方の中身（構成生薬）を示すベン図が目につくかと思います。これは、さっと目を通すくらいにして、読み流してください。実臨床で、これらをすべて覚えておく必要はまったくありません。ただし、ある程度の知識を持っておくと、構成生薬を見るとだいたいの作用が推測できるようになり、漢方処方の幅が広がります。

③ 実は、漢方の構成生薬は製造する会社によって異なります。本書では、日本の市場の80%以上を占めるツムラのエキス製剤に基づいて記載しました。

④ 西洋医学的には、最新のガイドライン（『産婦人科診療ガイドライン 婦人科外来編／産科編』など）に基づく記載を心がけました。文献も併せて記載しましたので、詳しく勉強したい方はご利用ください。特に、漢方に関しても英語の文献を付けました。漢方も、科学的な解析が行われてきたことが、ご理解いただけると思います。

⑤ chapter 2の「漢方治療と女性疾患」は、「和洋折衷ハイブリッド漢方」に基づいて解説しています。まず冒頭のページでそれぞれの疾患の主な症状や患者さんからの訴え、問診内容を記載していますが、問診に「漢」マークが付いているものは、漢方治療医学から見た問診内容です。次の「アプローチ」では、その疾患の西洋医学的管理・治療法をまとめています。アプローチの右欄にある「漢方治療ひとさじ」「漢方治療ふたさじ」マークが西洋医学に漢方治療医学を組み合わせることができる点です。実践してもらいたい「ヌーベル漢方」は「漢方治療ひとさじ」「漢方治療ふたさじ」欄で紹介しています。

⑥「症状」と「漢方の薬剤名」で対応するページを探せるような索引を作りました。実際の診療の際に活用できる実践的な構成になっています。

コンパクトな本ですが、いろいろな活用の仕方があると思います。医師だけでなく、メディカルスタッフの方が読まれてもよいかもしれません。産婦人科医に限らず、女性診療に携わる多くの皆さんのお役に立てば幸いです。

2017年2月

武田　卓

［改訂２版］

女性診療で使える ヌーベル漢方処方ノート

西洋医学＋漢方医学による診断・治療のすすめかた

Contents

改訂２版刊行にあたって …… iii
本書を手に取られた皆さんへ ―初版序文 …… v
症状別 漢方薬索引 …… x

chapter1 漢方診療ことはじめ

1. 漢方治療医学とは？ …… 2
2. 女性特有の内分泌環境の変化に漢方はどう効く？ …… 13
3. 西洋薬の副作用対策には漢方の出番 …… 23
4. 冷えと漢方　どう使う？ …… 27
5. ピルと漢方　どう使う？ …… 34
6. 抗不安薬と漢方　どう使う？ …… 42
7. がん治療と漢方　どう使う？ …… 51
8. 保険診療での注意点 …… 59

chapter2 漢方治療と女性疾患

1. 月経前症候群（PMS）・月経前不快気分障害（PMDD） …… 68
加味逍遙散（かみしょうようさん）　当帰芍薬散（とうきしゃくやくさん）　桂枝茯苓丸（けいしぶくりょうがん）　桃核承気湯（とうかくじょうきとう）　抑肝散（よくかんさん）　加味帰脾湯（かみきひとう）
甘麦大棗湯（かんばくたいそうとう）　川芎茶調散（せんきゅうちゃちょうさん）

2. 月経困難症 …… 83
当帰芍薬散（とうきしゃくやくさん）　桂枝茯苓丸（けいしぶくりょうがん）　加味逍遙散（かみしょうようさん）　芍薬甘草湯（しゃくやくかんぞうとう）　当帰建中湯（とうきけんちゅうとう）　安中散（あんちゅうさん）
芎帰膠艾湯（きゅうききょうがいとう）　小柴胡湯（しょうさいことう）

3. 過多月経 …… 92
芎帰膠艾湯（きゅうききょうがいとう）　十全大補湯（じゅうぜんたいほとう）

4. 子宮筋腫 …… 97
桂枝茯苓丸（けいしぶくりょうがん）　桂枝茯苓丸加薏苡仁（けいしぶくりょうがんかよくいにん）　加味逍遙散（かみしょうようさん）　加味帰脾湯（かみきひとう）

5. 子宮内膜症 …… 103
当帰芍薬散（とうきしゃくやくさん）　桂枝茯苓丸加薏苡仁（けいしぶくりょうがんかよくいにん）　帰脾湯（きひとう）　芎帰膠艾湯（きゅうききょうがいとう）

6.　更年期障害　その1 …… 109
黄連解毒湯　三黄瀉心湯　温清飲　加味逍遙散　桃核承気湯　八味地黄丸
六味丸　補中益気湯　防已黄耆湯　当帰芍薬散

7.　更年期障害　その2（不定愁訴を中心に） …… 124
加味逍遙散　当帰芍薬散　桂枝茯苓丸　桃核承気湯　抑肝散　芍薬甘草湯
釣藤散　柴胡桂枝乾姜湯　加味帰脾湯　八味地黄丸　補中益気湯　六君子湯

8.　小児・思春期 …… 131
小建中湯　抑肝散

9.　不妊症 …… 137
当帰芍薬散　加味逍遙散　桂枝茯苓丸　八味地黄丸　六君子湯　補中益気湯
柴胡加竜骨牡蛎湯　桂枝加竜骨牡蛎湯　抑肝散

10.　妊娠悪阻 …… 145
小半夏加茯苓湯　六君子湯　抑肝散加陳皮半夏

11.　妊娠中の感冒 …… 150
葛根湯　参蘇飲　麦門冬湯　麻黄湯

12.　妊娠に伴うマイナートラブル …… 156
当帰芍薬散　大建中湯　温清飲

13.　マタニティーブルーズ・産後うつ …… 162
芎帰調血飲　十全大補湯　女神散　加味帰脾湯　抑肝散

14.　婦人科がん治療後の腹部愁訴 …… 170
大建中湯　六君子湯　啓脾湯　当帰建中湯

15.　過活動膀胱 …… 177
猪苓湯　八味地黄丸　牛車腎気丸　清心蓮子飲　酸棗仁湯

16.　老年期に起こる諸症状 …… 183
紫雲膏　八味地黄丸　当帰飲子　牛車腎気丸　防已黄耆湯　疎経活血湯
ブシ末

索引 …… 190
WEB動画の視聴方法 …… 194
著者略歴 …… 195

動画Contents　①女性の3大処方をマスターしよう
②安定作用のある漢方：抑肝散・加味帰脾湯
③がん治療の副作用対策

症状別 漢方薬索引（50音順）

症状	漢方薬
汗	補中益気湯 118　防已黄耆湯 118
イライラ	加味逍遥散 75、126　抑肝散 76、127　甘麦大棗湯 77　釣藤散 128　柴胡桂枝乾姜湯 128
咽頭痛	葛根湯 152　参蘇飲 153　麻黄湯 154　桂枝湯 154
嘔気	六君子湯 37、54、147、173　五苓散 38　安中散 87　小半夏加茯苓湯 147　抑肝散加陳皮半夏 148　半夏白朮天麻湯 37
嘔吐	六君子湯 52、147　小半夏加茯苓湯 147　抑肝散加陳皮半夏 148
おちこみ	加味逍遥散 75　抑肝散 76、168　甘麦大棗湯 77　芎帰調血飲 165　女神散 167　加味帰脾湯 167
外陰部痛	紫雲膏 185　八味地黄丸 185　牛車腎気丸 186
過多月経	芎帰膠艾湯 94
肩こり	加味逍遥散 126　当帰芍薬散 126　桂枝茯苓丸 126　桃核承気湯 126　芍薬甘草湯 127　抑肝散 127　釣藤散 128　柴胡桂枝乾姜湯 128　八味地黄丸 129
下腹痛	当帰芍薬散 104　桂枝茯苓丸加薏苡仁 106　芎帰膠艾湯 107
下腹部のはり	当帰芍薬散 158　大建中湯 159
虚弱	小建中湯 133
下血	大建中湯 171
月経痛	桂枝茯苓丸 98　桂枝茯苓丸加薏苡仁 99、106　加味逍遥散 101　当帰芍薬散 104　芎帰膠艾湯 107
下痢	大建中湯 171　六君子湯 173　啓脾湯 173

症状	漢方薬
倦怠感	八味地黄丸 129　補中益気湯 55、129　六君子湯 130、147
口内炎	桔梗湯 56
情緒不安定	加味逍遥散 75　抑肝散 76、168　甘麦大棗湯 77　芎帰調血飲 165　女神散 167　加味帰脾湯 167
頭痛	当帰芍薬散 36、158　五苓散 36　半夏白朮天麻湯 37　川芎茶調散 78　葛根湯 152　参蘇飲 153　麻黄湯 154　桂枝湯 154
ストレス	抑肝散 134　小建中湯 134
咳	葛根湯 152　参蘇飲 153　麦門冬湯 153　麻黄湯 154　桂枝湯 54
乳房痛	当帰芍薬散 75　桂枝茯苓丸 75　桃核承気湯 76
尿意切迫感	猪苓湯 180　八味地黄丸 180　牛車腎気丸 181　清心蓮子飲 181
のぼせ	黄連解毒湯 114　三黄瀉心湯 114　温清飲 115　加味逍遥散 115　桃核承気湯 116　八味地黄丸 116　六味丸 117
排便痛	当帰芍薬散 104　桂枝茯苓丸加薏苡仁 106　芎帰膠艾湯 107
鼻汁	葛根湯 152　参蘇飲 153　麻黄湯 154　桂枝湯 154
冷え	末梢　当帰四逆加呉茱萸生姜湯 28　四逆散 28　当帰芍薬散 29
	腹部　人参湯 30　真武湯 30　ブシ末 30
冷えのぼせ	加味逍遥散 31　桂枝茯苓丸 31　桃核承気湯 32
皮膚掻痒感	温清飲 160　紫雲膏 185　八味地黄丸 185　当帰飲子 186　牛車腎気丸 186

症状	漢方薬
鼻閉	葛根湯 152　参蘇飲 153　麻黄湯 154　桂枝湯 154
頻尿	猪苓湯 180　八味地黄丸 180　牛車腎気丸 181　清心蓮子飲 181　酸棗仁湯 181
不安感	加味帰脾湯 46、56、77、129、167　柴胡加竜骨牡蛎湯 48　柴胡桂枝乾姜湯 49、128　抑肝散 56、76、127、168　帰脾湯 56　加味逍遥散 75、126　甘麦大棗湯 77　釣藤散 128　芎帰調血飲 165　女神散 167
腹痛	当帰芍薬散 85　桂枝茯苓丸 86　加味逍遥散 86　芍薬甘草湯 87　当帰建中湯 87、174　安中散 87　芎帰膠艾湯 88　大建中湯 171
腹部膨満感	加味逍遥散 75、101　当帰芍薬散 75　桂枝茯苓丸 76、98　桃核承気湯 76　桂枝茯苓丸加薏苡仁 99　加味帰脾湯 101
不正出血	芎帰膠艾湯 39、94
不妊	当帰芍薬散 139　加味逍遥散 140　桂枝茯苓丸 140　八味地黄丸 140　六君子湯 141　抑肝散 143
不眠	抑肝散 47、127　酸棗仁湯 47　柴胡加竜骨牡蛎湯 48　加味帰脾湯 56　帰脾湯 56　加味逍遥散 126　釣藤散 128　柴胡桂枝乾姜湯 128
便秘	当帰芍薬散 158　大建中湯 159、171
ほてり	黄連解毒湯 114　三黄瀉心湯 114　温清飲 115　加味逍遥散 115　桃核承気湯 116　八味地黄丸 116　六味丸 117
めまい	当帰芍薬散 119、158
腰痛	当帰芍薬散 85　桂枝茯苓丸 86　加味逍遥散 86　芍薬甘草湯 87　芎帰膠艾湯 88　八味地黄丸 186　牛車腎気丸 186　防已黄耆湯 187

chapter1

漢方診療
ことはじめ

1 漢方治療医学とは?

1 漢方とは何か?

一般の人だけでなく、医療関係者でも、漢方というと中国で行われている医学だと思っている方が多いと思われる。中国の伝統医学の診断では腹部診察(**腹診**(ふくしん))を重視しないのに対して、日本の漢方では**腹診**が診断において重要な位置を占めるように、実際の診療においてはかなりの相違点を認める。

実は、漢方治療医学は日本で生まれた伝統医学であり、中国の医学のことではない。古代中国で行われていた伝統医学(中国伝統医学)が、6世紀前半に仏教の伝来とともに日本に伝わり、日本人の体質に合わせて改良され、独自の発展を遂げたものが漢方であり、江戸時代において今と同じような漢方治療の医療体系が確立されたと考えられる。江戸時代に西洋医学が伝わり、これが蘭方と言われるようになったのに対して、日本で行われていたもともとの医療を漢方と呼ぶようになったのである。

漢方治療で使用される処方の剤型としては、2種類以上の成分(生薬)を決まった割合で配合し、一定の割合の水を加えて煮出した(煎じた)もの(湯液・煎じ薬)、生薬の粉末を混ぜ合わせたもの(散剤)、生薬の粉末を混ぜて固めたもの(丸薬)が存在する。同じように天然成分を材料とする民間薬と漢方薬との区別が紛らわしいので、**表1-1**に違いを示す。医療機関において通常の診療で汎用されるエキス剤はすべて、配合した生薬を煮出したものを高温乾燥し、顆粒状にしたものが用いられている。日本のエキス剤の品質は非常に高く、成分の均一性が保たれている。3次元HPLCにおいて認識される

表1-1　漢方薬と民間薬との違い

漢方薬	民間薬
通常は複数の生薬の組み合わせ	単一の成分を単一の症状に用いる
自然界の植物、動物、鉱物から成る	通常は植物を用いる
漢方独自の診断理論に基づいて用いる	経験則のみで、理論には基づかない

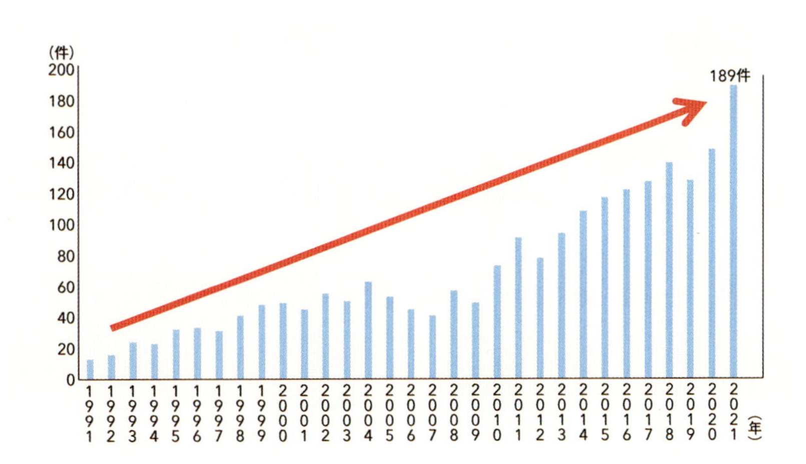

図1-1　「Kampo」の英語論文数
PubMedで「Kampo」と検索すると全部で1,988件あった（2022年1月現在）。

成分でも均一性が確認されている。

日本においては、96％の医師で漢方の処方経験があり[1)]、いわゆる代替医療の一つとしてのハーブとは異なり、医療における独自の位置を占めている。2019年に実施された日本産科婦人科学会女性ヘルスケア委員会「更年期障害の治療の実態調査」の結果によると、更年期障害の治療に対して約90%の産婦人科医が漢方治療を実施していることが明らかになっている[2)]。また、中国や韓国における伝統医学は西洋医学のライセンスとは別資格であり、西洋医学のライセンスを持った医師が漢方を処方する日本においては、西洋医学・東洋医学の両者の利点を容易に利用できるメリットがある。

このような背景もあり、漢方薬（主にエキス剤）の作用機序や治療効果を検討する臨床試験が数多く実施されるようになってきた。**図1-1**にPubMedで「Kampo」と入力して検索した結果を示すが、漢方に関する英語論文が年々増加していることがわかる。

2　現代医学における漢方治療の位置づけ

現代医学ではEBMやガイドラインが示す通りの医療が推奨されるが、すべての疾患・症状が改善されるわけではない。西洋医学の特徴は、さまざまな領域の専門家が細かく病態を分析していくことであるが、多くの診療科での精査にもかかわらず、何の異常所見も見つからず症状改善もされず、患者の肉体的・精神的・経済的負担だけが続くケースがある。これに対して漢方治療では、患者の症状全体をみて、症状を改善することを目的とするため、違った視点からの症状改善を図ることが可能となる。

このような、西洋医学の隙間を埋め、西洋医学・漢方医学の両者の特徴を生かす「和洋折衷ハイブリッド漢方」が、現代医学における漢方治療の一番の適応ではないかと考える。これでは、名前が長くて覚えにくいので、料理の世界では、中華料理にフランス料理の良いところを取り入れたものを「ヌーベルシノワ」と呼ぶのにならって、私なりに「ヌーベル漢方」と名付けてみた（**図1-2**）。

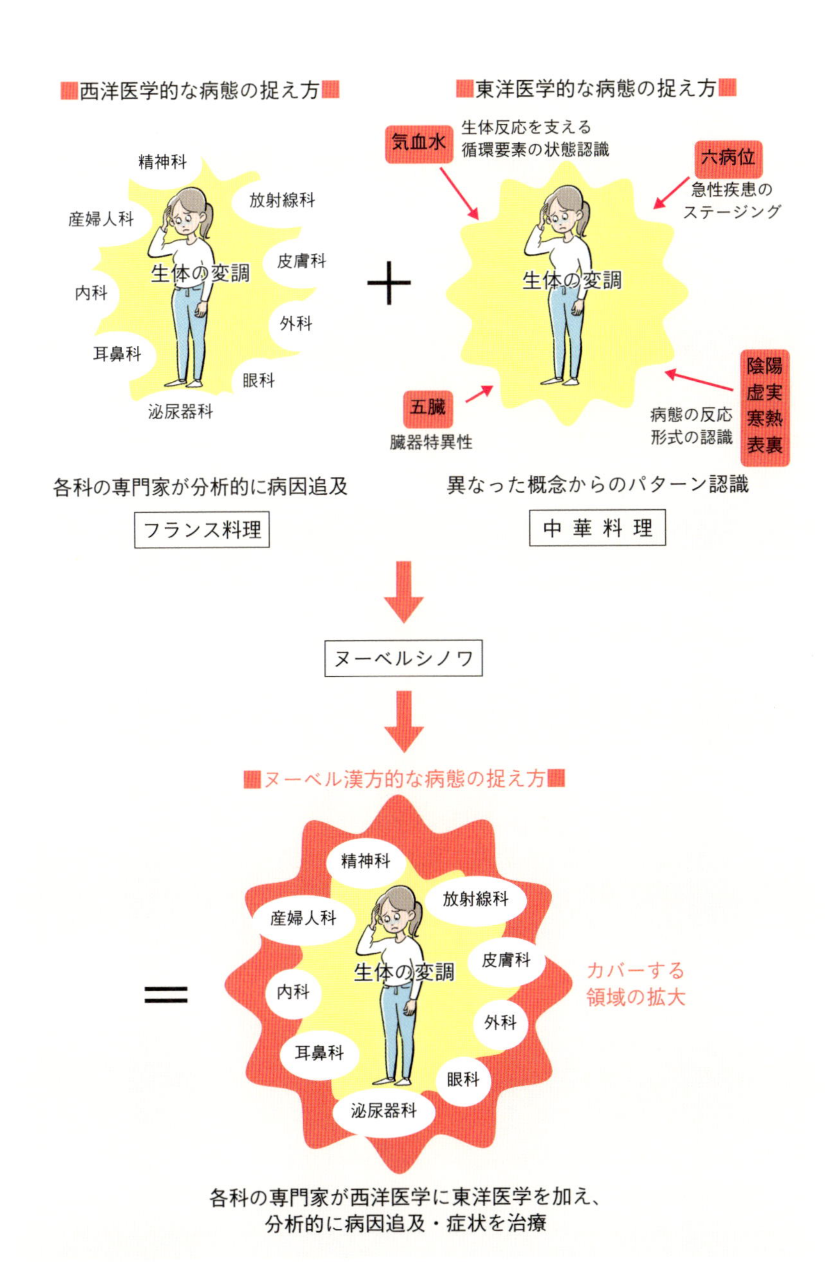
西洋医学的な病態の捉え方
精神科
放射線科
産婦人科
皮膚科
生体の変調
内科
外科
耳鼻科
眼科
泌尿器科
各科の専門家が分析的に病因追及
フランス料理
東洋医学的な病態の捉え方
気血水
生体反応を支える
循環要素の状態認識
六病位
急性疾患の
ステージング
生体の変調
五臓
臓器特異性
陰陽
虚実
寒熱
表裏
病態の反応
形式の認識
異なった概念からのパターン認識
中 華 料 理
ヌーベルシノワ
ヌーベル漢方的な病態の捉え方
精神科
放射線科
産婦人科
皮膚科
生体の変調
内科
外科
耳鼻科
眼科
泌尿器科
カバーする
領域の拡大
各科の専門家が西洋医学に東洋医学を加え、
分析的に病因追及・症状を治療

図1-2　病態の捉え方

3　漢方ならではの診断・治療

これまでの漢方に関する書籍では、西洋医学との違いを強調されがちであるが、患者が受診し、診察・診断・治療を行うのには、西洋医学と基本的な違いはない。漢方医学の診察は、「**望**」「**聞**」「**問**」「**切**」の4手法（**四診**）から成り立ち、診断は「**証**」を決めるという。西洋医学との一番の違いは、その診察・診断において、漢方医学独特の理念（**気血水**・**五臓**・**陰陽**・**虚実**・**六病位**など）が関わってくる点である。観念的な内容もあり、現代医学における診療では、すべてを理解する必要はないと考えるが、その中のいくつかのポイントを理解・応用することは、処方決定における手がかりとなる。

本書は伝統医学としての漢方医のためにあるのではなく、西洋医学にいかにうまく漢方医学を組み合わせるかが目的なので、漢方医学の独特の専門用語については極力使用しない方針とした。

漢方の診察方法「四診」

1. **望診　ぼうしん**
   表情、顔色、皮膚の状態、舌の状態（舌診）
2. **聞診　ぶんしん**
   声の大きさ、話し方、体臭
3. **問診　もんしん**
   自覚症状と普段の体質傾向
4. **切診　せっしん**
   脈診、腹診

4　四診

漢方ならではの診察方法である。「**問診**」は西洋医学と本質的には同じであるが、患者の体質や社会的な背景も含めた問診であり、心身医学的な問診と共通するところが多いと思われる。その中で、「**舌診**」「**脈診**」「**腹診**」は西洋医学とは異なる特徴的な診察方法と言える。多くの漢方治療医学的な専門用語が使用され、難解なイメージがあるが、特徴的なものに絞って理解しておくと、問診から得られた情報からの処方決定の際の参考情報として利用できる。

1. 舌　診

舌の腫大、舌辺縁の歯の圧痕（歯痕）、舌苔の性状、舌下静脈の怒張を評価する。**歯痕舌**は、むくみやすい状態（**水滞**）や胃腸機能低下（**脾虚**）のサインである。地図状舌は、舌苔がところどころ抜けてまだらになった状態をいい、気力が落ちた状態（**気虚**）のサインである。舌下静脈の怒張は末梢循環不全（**瘀血**）のサインである（**図1-3**）。

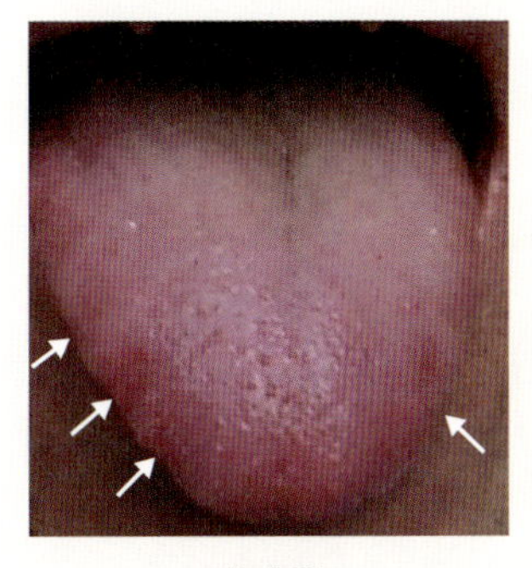

歯痕舌
舌に歯型を認める

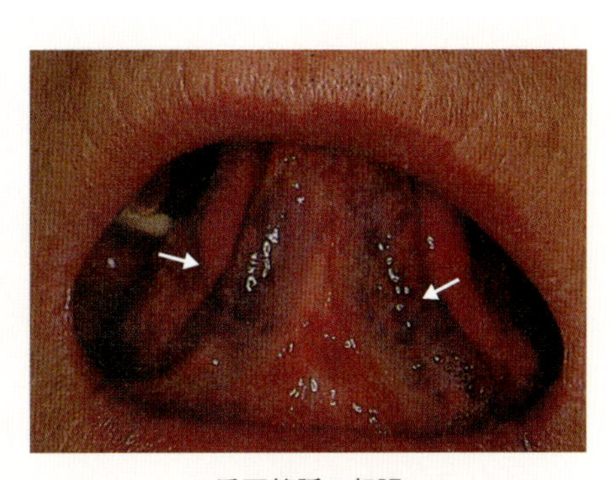

舌下静脈の怒張
瘀血＝末梢循環不全

図1-3　舌　診

2. 脈　診

西洋医学での**脈診**が脈拍数のみを計測するのに対して、東洋医学では脈の性状の評価がメインである。触れやすさ、強さ、大きさ、流れ方などを細かく評価するが、実臨床では力強く触れるかどうか、弱くて触れにくいかによって、体全体が弱っているかどうかの評価が可能である。

3. 腹　診

西洋医学では腹部臓器の腫大をみるために**腹診**を行うが、漢方治療医学での**腹診**は腹壁の緊張・圧痛を評価する。日本においては、江戸時代に発展した診察方法である。両足を伸ばした状態で行う。特徴的な所見に対して、ある程度特定の処方を用いることが目安として示されており、処方選択の手がかりとして有用である。

胸脇苦満は季肋部の抵抗・圧痛であり、**柴胡**を含んだ生薬を使用するサインとされる。**柴胡**の薬理作用には中枢抑制作用、解熱鎮痛作用、抗炎症作用がある。**小腹満**、**小腹急結**は臍下部・下腹部の抵抗・圧痛であり、**瘀血**のサインとされる（**図1-4**）。

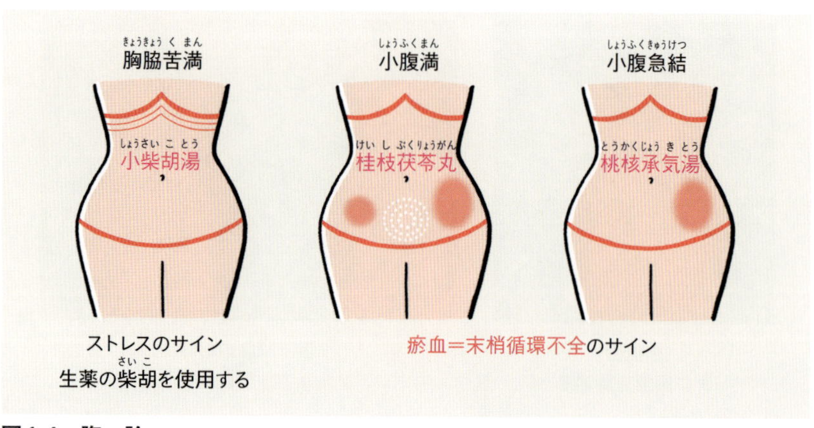

図1-4　腹　診

5　気血水の概念（表1-2）

生体の維持は、「**気**」「**血**」「**水**」の3要素から成り立つと考え、それぞれは身体を順調にめぐっているが、これらのバランスが崩れると病気になると考える（**図1-5**）。「**気**」は命のエネルギーであり、目に見えないパワーとされる。「元気」の「気」や「気力」の「気」と言えば、何となくわかるのではないかと思う。「**血**」は赤い液体で血液のような物質的なものであるが、エネルギー的な意味合いが含まれる。「**水**」は無色の液体で、同じくリンパ液のような物質的なものであるが、ここにもエネルギー的な意味合いが含まれる。それぞれの異常に適応する処方を用いて治療を行う。

一般的に漢方処方はさまざまな作用を持つ生薬の複合体であり、がん治療患者の免疫賦活作用として汎用される**十全大補湯**（じゅうぜんたいほとう）を例に挙げると、**気虚**と**血虚**（けっきょ）の両者に対応する薬剤とされ、そのぶん元気にする作用が強いのであろうと考えられる。

1.「気」の異常

気虚は「**気**」が虚した状態であり、気力がなく元気がない状態をいう。**気鬱**（きうつ）、**気滞**（きたい）は「**気**」が滞った状態であり、気持ちが落ち込んでうつ的な状態や閉塞感・停滞感として現れる。**気逆**（きぎゃく）は「**気**」の逆転であり、いわゆるのぼせである。

表1-2　気血水とその異常

漢方医学での概念		異常による特徴的症状
気	命のエネルギー	冷えのぼせ、不安、動悸、抑うつ、だるい
血	赤い液体	月経異常、うっ血、皮膚のくすみ
水	無色の液体	むくみ、めまい、口の渇き

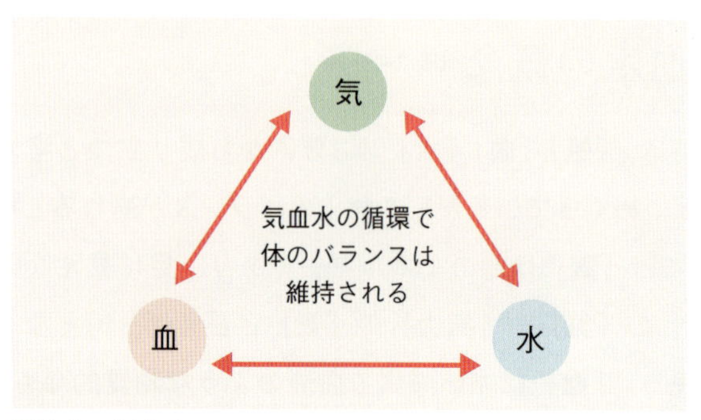

図1-5　気血水

2.「血」の異常

女性には月経があるため、「**血**」の異常が病態を考える上で重要であるとされている。**血虚**は「**血**」が虚した状態であり、西洋医学での貧血に伴う症状であるが、必ずしも貧血である必要はない。皮膚の乾燥、髪が抜けやすいといった症状を伴う。**瘀血**は「**血**」が滞った状態であり、女性診療において重要な位置を占める、更年期障害、月経前症候群、機能性月経困難症の病因とされている。症候としてはさまざまな精神身体症状（不眠、嗜眠、精神不穏、顔面の発作的紅潮、筋痛、腰痛など）が現れる。先述の**舌診・脈診・腹診**では、特徴的なサインを認める（**図1-3、図1-4**）。

3.「水」の異常

水滞、**水毒**（すいどく）は「**水**」が滞った状態であり、むくみやすい状態であるが、症状としては、めまい、たちくらみ、ふらつきがある。頭痛、耳鳴り、頻尿などの尿症状、下痢、口渇も「**水**」の変調が疑われる。月経前症候群の身体症状としての浮腫や頭痛も「**水**」の異常として捉えられる。

6　五臓の概念（図1-6）

五行説であり、安倍晴明といった陰陽道が連想され、西洋医学的には受け入れがたいところがある（はっきり言って、うさんくさい）。しかしながら、診断・処方決定においては、一部を理解しておくと便利な点があるのも事実で、特に女性診療においては「**肝**」と「**腎**」について西洋医学的解釈とその病的状態を理解しておくとよい。図中の→でつなぐ臓器については、抑制的に作用すると考える。心身医学的な面からみると、「**肝**」の高ぶりで抑うつや心身症になると「**脾**」が抑えられることになるが、「**脾**」は消化機能を表すので、ストレスにより胃腸障害が引き起こされることを表す。西洋医学的な機能性胃腸症がこの病態に相当すると思われる。おそらくは、古代中国での経験則を**五臓**といったシンプルな形で説明できるように当てはめたのであろうと考えられる。

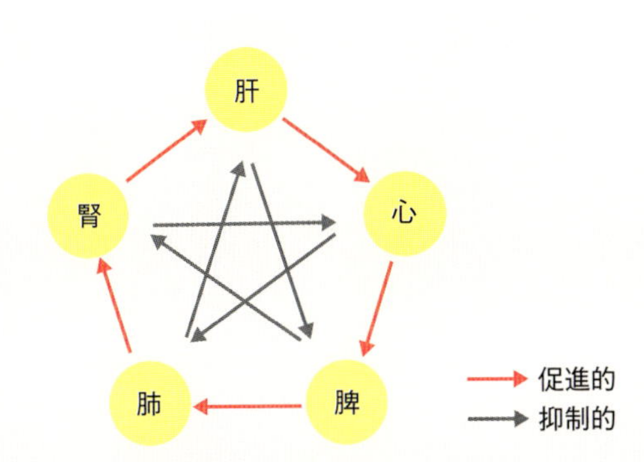

	西洋医学的解釈	病的状態
肝	情動、内分泌系、自律神経系	抑うつ、心身症、月経不順
腎	発育・生殖に関係	老化、不妊

図1-6　五臓の概念
観念的な要素が強く、西洋医学での臓器とは異なる。

■ 引用・参考文献

1） Imanishi J, Watanabe S, et al. Japanese doctors’ attitudes to complementary medicine. Lancet. 1999；354（9191）：1735-6.

2） 日本産科婦人科学会女性ヘルスケア委員会．更年期障害の治療の実態調査に関する小委員会．日本産科婦人科学会雑誌．2020 ; 72(6) : 697-707.

2 女性特有の内分泌環境の変化に漢方はどう効く?

1 女性ホルモンはすごい

男性になくて女性にある一番の特徴は、ホルモン変化の大きさだと言える。女性のライフサイクルは、卵巣からのエストロゲン分泌を抜きにして考えることは不可能である。初経に始まり、思春期、性成熟期、更年期、閉経、老年期と、これらは卵巣からのエストロゲン分泌の変化によりもたらされる（**図2-1**）。このようなライフサイクルの変化に伴う大きなホルモンの揺らぎに加えて、排卵周期での毎回の月経周期の中で小さな揺らぎが存在する（**図2-2**）。大きな揺らぎでの病的状態の代表が更年期障害であり、小さな揺らぎでの代表が月経前症候群（premenstrual syndrome；PMS）である（**図2-3**）。政府の成長戦略の一つとして、「女性の活躍推進」が提唱されて久しいが、更年期障害やPMSといった女性特有の疾患は、パフォーマンス障害から就業への影響が大きい。更年期障害に対するホルモン補充療法（hormone replacement therapy；HRT）やPMSに対するピルを用いた治療は、一般女性におけるホルモン製剤使用への抵抗感の強さや家庭医からのホルモン製剤投薬の困難さにより、十分に行われているとは言いがたい。実際、就労女性2,000名を対象としたウェブ調査の結果からは、45%の方がPMSや月経随伴症状により、仕事のパフォーマンスが普段の半分以下になると回答している[1)]。これに対して、漢方製剤の一般の受け入れは良好であり、また内科医からの漢方製剤の投薬には特別な障害はなく、漢方治療は現状打開の有効な手段となり得る。

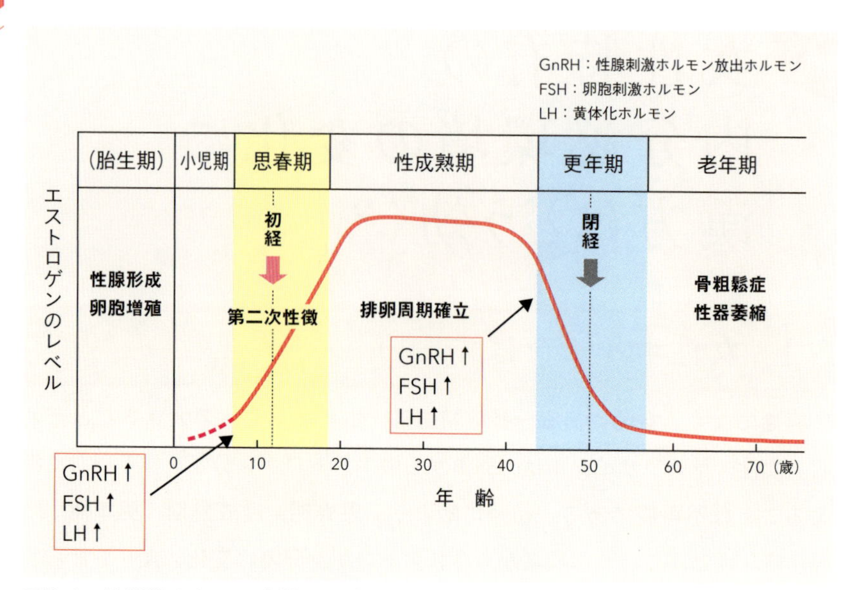

図2-1　性機能からみた女性の一生
胎生期、小児期、思春期、性成熟期、更年期、老年期に分けられる。GnRH、FSH、LH、エストロゲン、プロゲステロンの作用による。

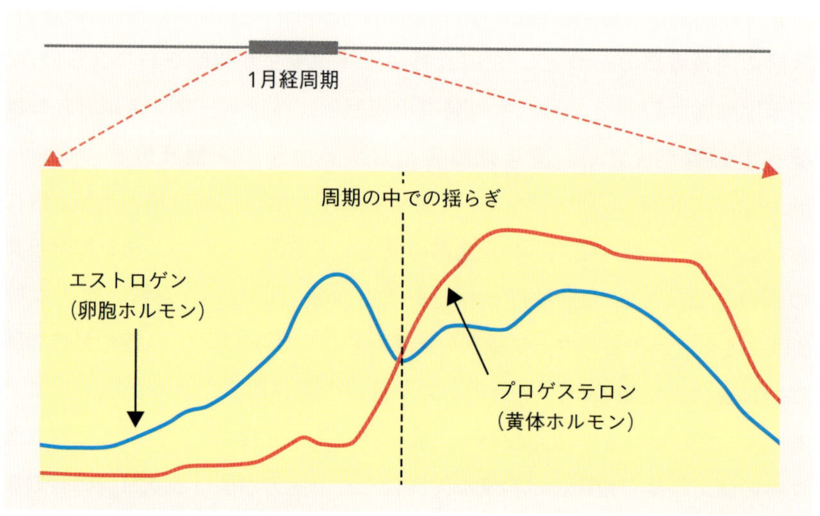

図2-2　月経周期の中での揺らぎ

図2-3 女性ホルモンはすごい

2 漢方治療医学におけるホルモン変化

漢方治療医学は2,000年以上も前に、中国で確立された医学であるが、このような女性のホルモン変化を理解していたのであろうか? 漢方医学における診断概念は西洋医学とは異なるものであるが、その中の一つに**五臓**(ごぞう)の概念がある。詳細は省略するが、病態を「**肝**(かん)」「**心**(しん)」「**脾**(ひ)」「**肺**(はい)」「**腎**(じん)」の5つに分けることにより、さまざまな病態を説明するものである。その中の「**腎**」は、西洋医学的な概念としては、生殖・発達能力に相当する(chapter 1-①、**図1-6**を参照 GO 11ページ)。

『黄帝内経(こうていだいけい)』は中国伝統医学の三大古典の一つとされる書物であるが、その中に女性の一生におけるホルモン変化に関する記載が認められる(**表2-1**)。女性の体が7年周期で変動するというもので、「養命酒」のコマーシャルでも使用されていたので、記憶されている方も多いかと思う。7歳で永久歯がはえ、14歳で初経を、21歳で性成熟期を迎え、35歳で卵巣機能の低下、49歳で閉経といったように、血液検査を行ってホルモン測定などできな

表2-1　女性の体は7年周期

腎気（生殖・発達能力）の変化	生理機能の変化	女性
髪長歯更	腎気盛んになり、髪が伸び、歯がはえかわる	7歳
天癸完成	生殖能力が完成する	14歳
生長完成	腎気が充実し、親知らずがはえ、成長が極まる	21歳
筋骨隆盛	身体が盛んで充実している時期	28歳
衰退開始	腎気が衰え出し、顔のやつれや抜け毛が始まる	35歳
衰退期	肉体的な衰えが目立つようになる	42歳
天癸枯渇	運動能力が低下したり、生殖能力がなくなる	49歳

い時代に、女性のライフサイクルにおけるホルモン変動を見事に観察していることがわかり、興味深い。

さらに、毎回の月経周期の中での小さな揺らぎであるPMSに相当する記載も、同じく古典の一つである『傷寒論（しょうかんろん）』の中に認められる。このように漢方治療医学においても古くから女性のホルモン変化について、「大きな揺らぎ」だけでなく「小さな揺らぎ」までもが認識されており、診断治療が行われていたことになる。

3　女性の漢方には「瘀血（おけつ）」が重要

女性には月経があるため、血の異常が病態を考える上で重要であるとされている。通常は「**血**（けつ）」は滞りなく流れているが、外的なストレスなどにより流れが障害される（**図2-4**）。

「**血**」が滞った状態である**瘀血**は、女性診療において特に重要な位置を占め、更年期障害やPMS、機能性月経困難症の病因とされている。症候としては、さまざまな精神身体症状（不眠、嗜眠、精神不穏、顔面の発作的紅潮、筋痛、腰痛など）が現れる。特徴的な所見としては、**舌診**（ぜっしん）における舌下静脈の怒張、**腹診**（ふくしん）での臍下部における圧痛・抵抗が挙げられる（**図2-5**）。

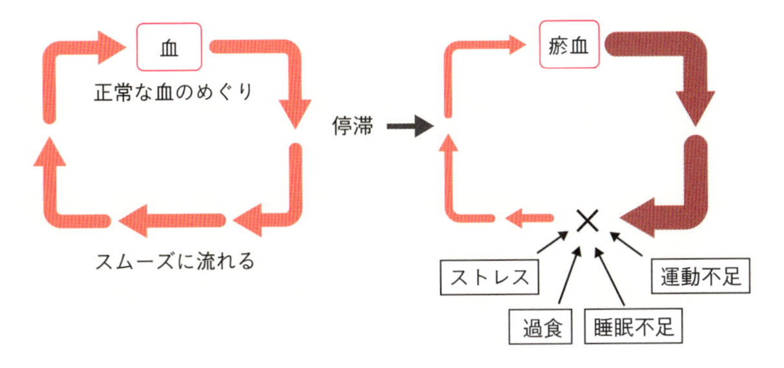

図2-4　瘀　血

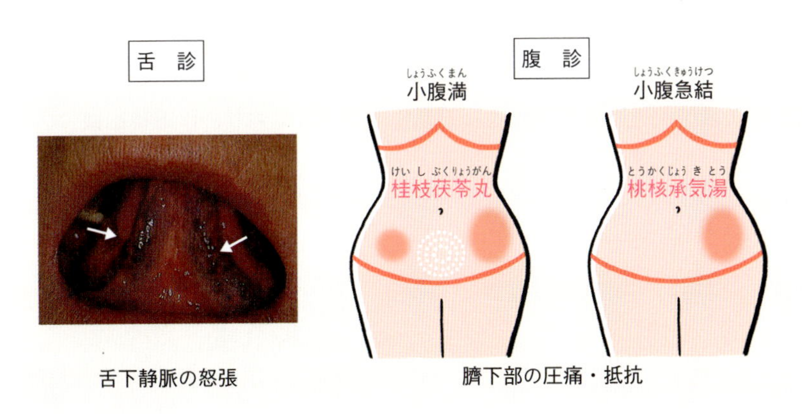

図2-5　瘀血のサイン

実は、西洋医学においても、**瘀血**に類似した病態が存在する。骨盤内うっ血症候群（pelvic congestion syndrome；PCS）は、女性の慢性骨盤痛の原因として最近認識されるようになってきた病態である。45歳以下に多く、PCSだけで慢性骨盤痛の原因の30％を占める。また、慢性骨盤痛の他の原因が存在する場合の15％にPCSを認める。月経関連疾患では、PCSの54％に月経不順、66％に月経痛を認める。解剖学的に骨盤の左側がうっ血しやすく、左

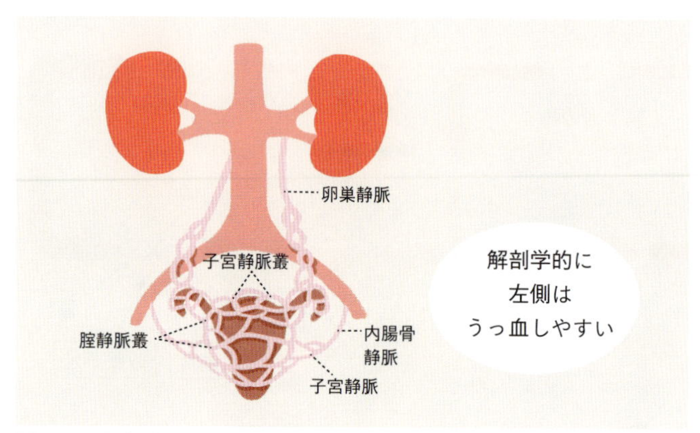

図2-6　骨盤内うっ血症候群（pelvic congestion syndrome）

の卵巣静脈や付属器周辺の静脈うっ滞を認める[2]（**図2-6**）。**腹診**における**瘀血**の圧痛点が左側によく認められる点でも共通しており、PCSは**瘀血**の病態との共通点が多く認められる。

4　駆瘀血剤としての「女性の3大処方」と桃核承気湯

婦人科領域で汎用される3大処方として、**当帰芍薬散**、**加味逍遙散**、**桂枝茯苓丸**が知られており、これらは**瘀血**に対する改善作用を持つとされている。これに、同じく**瘀血**に対する改善作用を持つ、**桃核承気湯**を加えた4剤の使い分けにより、かなりの症例への対応が可能となる。構成生薬について理解しておくと、各薬剤の持つ特徴が理解しやすい（**図2-7**）。

1. 当帰芍薬散

症状的にはやせていて、色白、冷え、虚弱体質、頭痛、めまい、肩こり、浮腫傾向（体に水がたまりやすい）を特徴とする。漢方医学では、水がたまり

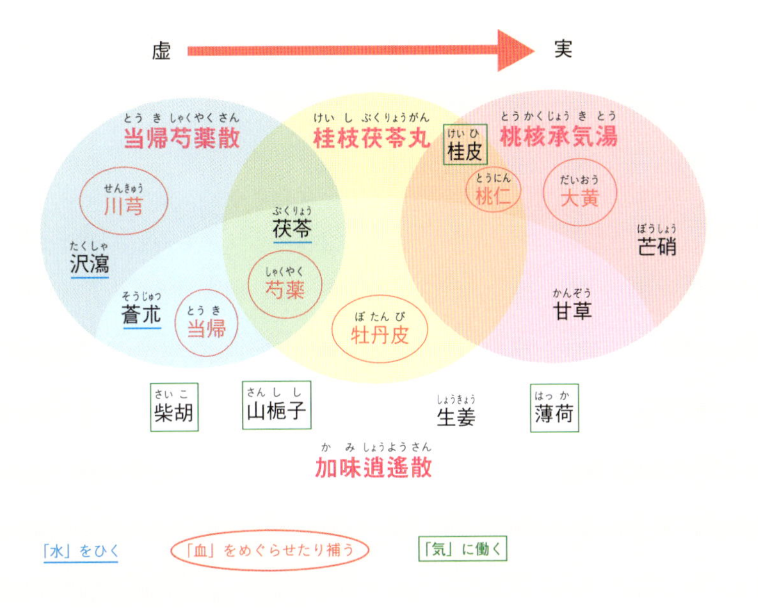

図2-7　代表的駆瘀血剤の構成生薬

やすい（**水毒**）のが原因で頭痛やめまい、肩こりが起こるとされており、これらは一連の症状と考える。構成生薬には、蒼朮、沢瀉、茯苓といった**利水**作用を持つものが多く含まれている。

2. 加味逍遙散

名前のごとく、症状が「逍遙」する（次々に移り変わる）ものに使用する。すなわち、不定愁訴に対する代表処方だと言える。構成生薬としては、柴胡、薄荷、山梔子といった「**気**」に働く生薬が含まれている。右季肋部につかえ感や圧痛を認める場合があり、柴胡の入った漢方薬を使用する際の代表的症状である。弱い下剤作用があり、普段から下痢傾向にあるときには、使用しにくい場合がある。

漢方薬の下剤

女性は黄体ホルモンの作用により、男性よりも便秘になることが多いが、漢方薬には便秘に対する適応を持つ薬剤が多い。最もシンプルなものは、**大黄甘草湯**であり大黄と甘草を組み合わせたもので、単なる下剤として使用する場合の標準的な薬剤と言える。作用のマイルドな下剤としては、**麻子仁丸**や**潤腸湯**があり、これらには便中の水分含有量を増加させ、スムーズに排便できるようにする作用がある。前述した**桃核承気湯**は、下剤作用としてはかなり強いことには注意が必要である。これらの下剤作用の薬剤とは異なり、腸管運動調節剤として**大建中湯**も使用し得る。腸管血流の増加作用があり（chapter 2-⑫、**図12-2**を参照 GO 160ページ）、自然に腸管を動かせることにより、最もマイルドに排便を促進する。本当の下剤作用のある漢方と併用してもよい。妊娠中の便秘にも投与可能である。

下剤作用の強弱の目安を以下に示すので、覚えておくと便利である。

桃核承気湯＞**大黄甘草湯**＞**麻子仁丸**＞**潤腸湯**>>**大建中湯**

ちなみに、漢方では便秘は**瘀血**の症状の一つとなっており、**桃核承気湯**の下剤作用は、**瘀血**に対する治療として考えられている。更年期障害のほてりに使用できる**三黄瀉心湯**（chapter 2-⑥、**図6-2**を参照 GO 114ページ）も大黄が含まれている。また、**桃核承気湯**や**桂枝茯苓丸**に含まれる桃仁にも、大黄ほどではないが軽い下剤作用がある。実際の投与において問題になることはほとんどないように思われるが、**桂枝茯苓丸**にも弱い下剤作用がある。

漢方治療をやめるタイミングは？

講演でしばしば質問を受ける事項であるが、特別な決まりはない。更年期障害に対する治療の場合、HRTなら乳がんリスクを気にして５年くらいしたらやめようかといった、何となくの目安があるが、漢方の場合にはどうであろうか？ 漢方なら乳がんリスクを気にする必要もなく、何となくずるずると投薬を継続しがちである。内服した方が調子が良ければそのまま継続でもよいのかもしれないが、不必要な投薬は生薬資源と健康保険財政の無駄遣いであり、やはりどこかではやめていくべきである。通常は、調子が良くなってくると自然と内服を忘れるようになり、次回外来受診時にだんだんと処方日数を調整するようになってくる。そうなれば、１日３包のところを２包に減らし、それでも残薬がたくさん出てくるようなら、「一度飲むのをやめてみましょうか？」といった具合になる。このように、自然経過に任せて中止を勧めていくのが、一番スムーズであるように思う。

3. 桂枝茯苓丸(けいしぶくりょうがん)

当帰芍薬散(とうきしゃくやくさん)よりは、より**実証**(じっしょう)タイプのものに使用する。**瘀血**症状が強く、症状としては冷えのぼせが特徴である。精神神経症状は軽度のものに用いる。

4. 桃核承気湯(とうかくじょうきとう)

桂枝茯苓丸(けいしぶくりょうがん)より、より**実証**タイプのものに使用する。症状的には**桂枝茯苓丸**(けいしぶくりょうがん)に似るが、精神神経症状はより強いものに用いる。便秘が強いことが使用目標となる。構成生薬としては、大黄(だいおう)、桃仁(とうにん)、芒硝(ぼうしょう)といった下剤作用のある生薬が多く含まれている。普段から便秘傾向にない患者への投与は難しい。

■ 引用・参考文献

1） 日本医療政策機構．働く女性の健康増進調査2018. https://hgpi.org/wp-content/uploads/1b0a5e05061baa3441756a25b2a4786c.pdf

2） Knuttinen MG, Karow J, et al. Blood Pool Contrast-enhanced Magnetic Resonance Angiography with Correlation to Digital Subtraction Angiography: A Pictorial Review. J Clin Imaging Sci. 2014；4：63.

3 西洋薬の副作用対策には漢方の出番

1 古くて新しい漢方治療

漢方治療医学は、古代中国の医療体系をもとに、日本で独自に発達したものであり、もともとの対象疾患は消化器症状（胃部不快感や下痢）や呼吸器症状（咳や咽頭痛などの感冒症状）といった、古来より人間が患ってきた疾患であるはずだ。現代社会においては、疾病構造の変化だけでなく、西洋医学による劇的な治療技術の進歩の一方で、西洋薬による副作用が出現し、患者のQOLに多大な影響を及ぼすようになってきた。このような西洋薬の副作用には、もちろん西洋薬で対応できることも多いが、西洋薬だけでは十分に対応できない場合が存在する。これに対して、漢方治療が応用できる場合がある。このような漢方の使用方法については漢方医学の古典には記載がなく、作用機序から推測して試行錯誤の結果、最近使用されるようになったものである（**図3-1**）。

2 抗がん剤の副作用対策

1. 嘔気・嘔吐、倦怠感

補剤、すなわち胃腸を助けて元気にする薬を応用する。急性期の嘔気・嘔吐にはセロトニン受容体拮抗薬やステロイド投与が、遅延性嘔気・嘔吐に対してもアプレピタントの有効性が確立されているが、それだけでは不十分な場合がある。これには**六君子湯**（りっくんしとう）を応用することができる。詳細はchapter 1-

図3-1　古くて新しい漢方治療

⑦「がん治療と漢方　どう使う？」を参照いただきたい（GO 51ページ）。

2. 口内炎

従来から使用されている抗がん剤においてもしばしば認められるが、最近急増している分子標的薬においても、口腔内潰瘍（口内炎）は多発する副作用である。分子標的薬は婦人科がんでも使用されるようになってきたが、EGFR（上皮成長因子受容体）チロシンキナーゼ阻害薬やmTOR（哺乳類ラパマイシン標的タンパク質）阻害薬ではかなりの頻度で口腔内潰瘍（口内炎）が発症する。

漢方治療の第一として、口腔は胃や腸の延長であることから、上述の**補剤**により胃腸の調子を整えて、口内炎を防ぐ戦略を用いる。口内炎が発症する前の抗がん剤治療を開始する際から**補剤**の投与を実施する。口内炎の出現後には、咽頭炎への適応であるが、**桔梗湯**を使用する。お湯に溶かして、口に含みながら内服する。桔梗と甘草の2種類の生薬から成るシンプルな薬剤で使用しやすい。口内炎への適応のある製剤として、**半夏瀉心湯**があり、グレード2以上の口内炎持続期間の短縮効果が報告されている[1]。

3 抗エストロゲン療法の副作用対策

子宮筋腫術前や乳がん術後でのGnRHアゴニスト投与が一番問題となる。これらに伴う卵巣機能欠落症状は基本的に更年期症状と同様の病態・症状であるが、急激なホルモン変動により、更年期症状よりも症状がきつい場合が多い。更年期障害であればホルモン補充療法（HRT）が一番有効であるが、当然ながら投与できない。よって、更年期障害に対する漢方治療を応用する。**補剤**である**加味帰脾湯**（かみきひとう）には、ほてりを鎮める山梔子（さんしし）が含まれており、不安に対する改善効果もあり、GnRHアゴニストの子宮筋腫術前投与による卵巣機能欠落症状に対する改善効果が報告されている[2)]。

4 選択的セロトニン再取り込み阻害薬の副作用対策

選択的セロトニン再取り込み阻害薬（selective serotonin reuptake inhibitors；SSRI）は、現代病である、うつ病、パニック障害、強迫性障害に対して汎用される薬剤である。投与初期に嘔気・嘔吐が約10～20%で認められ、内服制限の一番大きな原因となっている。これに対する**六君子湯**（りっくんしとう）の有効性が報告されており、動物実験ではセロトニンを介する作用メカニズムが報告されている[3)]。

漢方薬の番号

漢方エキス製剤には番号が付けられている。メーカーにより若干異なっているものもあるが、主要な製剤に関してはほとんど同じ番号が付けられている。**当帰芍薬散**は23番、**当帰建中湯**は123番だが、この番号には、何らかの規則性があるのであろうか？ どうも、すべてではないが、作用が関連した処方が100番台にある場合があるように思われる。他には、**八味地黄丸**（7番）と**牛車腎気丸**（107番）、**桂枝茯苓丸**（25番）と**桂枝茯苓丸加薏苡仁**（125番）、**半夏厚朴湯**（16番）と**茯苓飲合半夏厚朴湯**（116番）が挙げられる。100番台はどちらかというとマニアック処方が多いようであるが、関連処方と併せて覚えておくと非常に便利なものが多い。外来診療の際、しばしば患者さんから、「先生、水色の漢方が余っていますのでいりません」のようなことを言われる場合がある。ちなみに袋の色に関しては、特に製剤内容との意味付けはないようで、ツムラの場合は下一桁の番号で決めているようである（例えば、下一桁が1なら水色となる）。

■ 引用・参考文献

1） Matsuda C, Munemoto Y, et al. Double-blind, placebo-controlled, randomized phase II study of TJ-14（Hangeshashinto）for infusional fluorinated-pyrimidine-based colorectal cancer chemotherapy-induced oral mucositis. Cancer Chemother Pharmacol. 2015；76（1）：97-103.

2） 久松武志，澤田健二郎ほか．子宮内膜症あるいは子宮筋腫のGnRHアゴニスト製剤による治療時における加味帰脾湯の更年期症状に対する効果．産婦人科治療. 2011；103（5）：507-12.

3） Fujitsuka N, Asakawa A, et al. Selective serotonin reuptake inhibitors modify physiological gastrointestinal motor activities via 5-HT2c receptor and acyl ghrelin. Biol Psychiatry. 2009；65（9）：748-59.

4 冷えと漢方　どう使う?

1　冷えは漢方ならではの概念

「**冷え**」は日本の女性においては馴染み深い症状であるが、西洋医学ではあまり認識されていないとされる。あくまでも感覚的なものであるため、このような違いは文化や言語学での研究テーマとなる。**冷え症**は、冷える感じが強くて病気として認識される状態を指し、**冷え性**は、冷える感じはするが、日常での支障はなく、体質的なものを指す。

東北大学産婦人科の九嶋らによると、女性の54.5％に冷えが見られ、思春期と更年期に多く、自律神経症状と関連があることが報告されている[1)]。体を構成するさまざまなパーツの中で、筋肉は血流が多く熱を生み出すため、男性と比べて筋肉の少ない女性の方が冷えやすいと考えられている。

冷え症は東洋医学ならではの病気としたが、現代社会ではむしろ冷えは増加していると思われる。運動不足に加えて、現代社会は冷やす社会とも言え、夏場のクーラー、冷蔵庫の冷たい食品、本来は夏だけに食べていた食品を冬場にも食べるようになった（トマトなど）などが原因として挙げられる（**図4-1**）。

2　さまざまなタイプの冷え性

大きく3タイプの冷えに分けることが可能であるが（**図4-2**）、実際の症例では、冷えの症状に加えて、他の症状も一緒にある場合がほとんどである。

図4-1　現代社会における冷えの原因

1. 末梢冷えタイプ

末梢の循環不全が原因と考えられ、普段の対策としては運動が第一である。手足の冷えが中心で、このような症状を漢方では**四逆**（しぎゃく）といい、処方名に**四逆**の名称のはいった薬剤を選択することができる。

①当帰四逆加呉茱萸生姜湯（とうきしぎゃくかごしゅゆしょうきょうとう）

構成生薬として、細辛（さいしん）が含まれており、温める作用が強い。呉茱萸（ごしゅゆ）という頭痛に対して使用する生薬も含まれており、冷えると頭痛を感じる場合にも使用できる。呉茱萸（ごしゅゆ）は苦いので有名である。

②四逆散（しぎゃくさん）

当帰四逆加呉茱萸生姜湯（とうきしぎゃくかごしゅゆしょうきょうとう）と同様に処方名に**四逆**の名称は入っているが、構成生薬や狙っている作用は異なる。こちらは、メンタルからの末梢冷えに対する薬剤であり、ストレス対策の薬である。漢方の安定剤である柴胡（さいこ）を比較

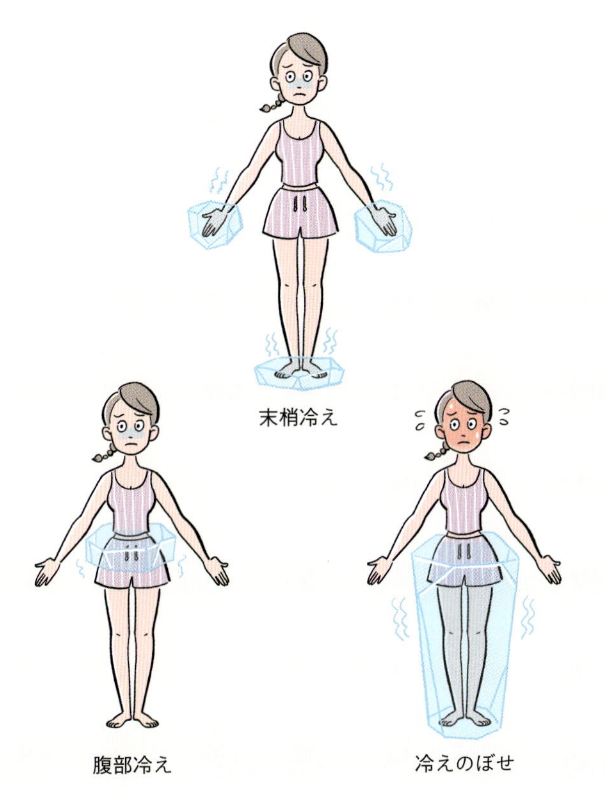

図4-2 冷えのタイプ

的多く含む（5g）。

③当帰芍薬散（とうきしゃくやくさん）

「女性の3大処方」の一つで、むくみを取る作用が強い。月経関連の症状が同時にある場合に選択するとよい。

2. 腹部冷えタイプ

全身の冷えとなり、体の芯から温めることが必要となる。胃腸の弱い人や下痢をしやすい人はこのタイプとなる。日常生活では、冷たいものの飲み過ぎ食べ過ぎに注意が必要である。乾姜（しょうがを干したもの）や附子（トリカブト）を含んだものを使用する。

①人参湯

乾姜を多く含み（3g）、おなかを温めて、胃腸機能を整える。

②真武湯

附子を含み、下痢をしやすい人に使用する。**人参湯**と組み合わせることにより、乾姜と附子を組み合わせることができ、作用が強くなる。エキス剤には存在しないが、冷えに対する基本処方である**四逆湯**という処方があり、**人参湯**と**真武湯**を組み合わせるとちょうど**四逆湯**（乾姜＋甘草＋附子）ができあがる（**図4-3**）。

③ブシ末

エキス剤が生薬を煎じた抽出物を乾燥させているのに対して、末剤は生薬の粉末をそのまま内服するものである。ブシの場合には、そのままでは毒性があるため、**修治**といって、毒抜きをしている。温める作用と痛みをとる作用が強く、他の製剤と組み合わせることにより、作用を強化できる。例えば、**人参湯**に組み合わせることにより、**四逆湯**の組み合わせを作ることができる（**図4-3**）。

エキス剤の使用しか経験がないと、何となく使用に抵抗感があるが、実際

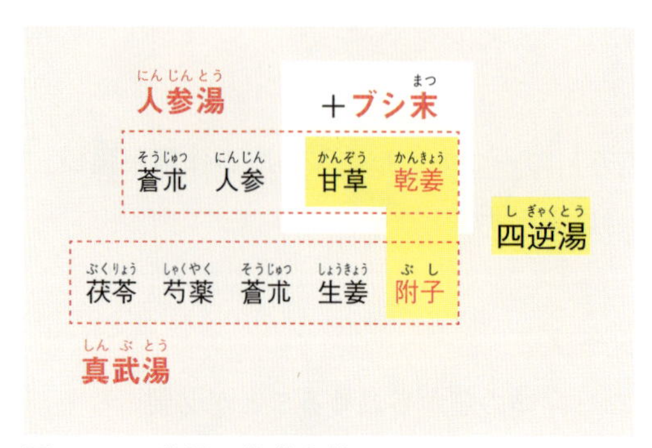

図4-3　四逆湯の構成生薬

の運用は難しいものではない。初期投与量は1回0.5gから始めて、エキス剤と組み合わせて内服させる。症状のきつい場合には1日3gくらいまで投与する場合もあるが、メーカーによって保険診療上での投与の上限が1.5gとなっているものがあり、注意が必要である（「三和生薬」**加工ブシ末**）。

末剤全般に当てはまるが、保険診療上はエキス剤と同時に処方することが必要で、単独では投与できない。内服時の注意としては、エキス剤とは異なり、口の中で溶けない。口の中に残ると若干の舌のしびれ感が生じるので、あらかじめ患者によく説明しておく必要がある（「舌がしびれるかもしれませんが、毒抜きをしているので、そのまま死んでしまうようなことはありませんから安心してください」）。

3. 冷えのぼせタイプ

下半身は冷えるが、上半身はほてるように熱くなる。更年期障害で見られる症状が典型的なもので、ストレスや精神的なおちこみが原因となっていることが多いと考えられる。漢方では、めぐりをよくする薬剤が選択される（chapter 1-②、**図2-7**を参照 GO 19ページ）。

更年期障害の場合には、ほてり（ホットフラッシュ）に対してはホルモン補充療法（HRT）の治療効果は間違いなく、ファーストチョイスの治療法だと言えるが、ほてりは改善しても冷えが残る場合がある。そのようなときには、HRTと漢方を併用するとよい。

①加味逍遙散（かみしょうようさん）

「女性の3大処方」の一つで、構成生薬の山梔子（さんしし）にほてりを冷ます作用がある。

②桂枝茯苓丸（けいしぶくりょうがん）

同じく「女性の3大処方」の一つである。構成生薬の桂皮（けいひ）には、「**気**」をうまくめぐらせる作用があるとされる。

③桃核承気湯（とうかくじょうきとう）

冷えのぼせに対する代表処方であるが、下剤作用が強いので、投薬には注意が必要である。

3 西洋医学的に注意が必要な冷え症状は？

1. 不眠や気分のおちこみを合併している場合

うつ病の場合に、全身のひどい冷え症状を訴える場合がある。自己評価式抑うつ性尺度（self-rating depression scale；SDS）などの問診票を用いて、うつ症状のスクリーニングを行ったり、メンタルヘルスの専門医への受診を勧めたりする。

2. 足が冷えて、歩くと痛みが出て歩けなくなる場合

閉塞性動脈硬化症（arteriosclerosis obliterans；ASO）の鑑別が必要となる。ASOは動脈硬化が原因で血管が狭くなって血流障害が生じている場合に起こり、高齢者、喫煙者、糖尿病のある人は要注意である。漢方治療ではなく西洋医学的な治療（プロスタグランジン製剤や外科的な血管再建など）が必要となる場合があり、症状がひどければ循環器や血管の専門医への受診を勧める。

サルコペニア・フレイルと冷え

超高齢化社会が進む中で、高齢者の虚弱が注目されている。何となく食欲が出ないとか、歩く速度が遅くなったといった訴えで、受診される高齢者の方が増加している。「サルコペニア」「フレイル」とは、「加齢に伴う筋力や心身の活力が低下した状態」をいう。単なる筋力低下だけでなく、意欲がなくなるなどの精神面での機能低下も含んだ高齢者が陥

りやすい心身虚弱を広く表した概念である。さらに、新型コロナウイルス感染症（COVIT-19）による外出控えが、運動量の低下からの筋肉量減少となり悪影響を及ぼす（**図4-4**）。筋肉が減少することから冷え症状を伴うことも多く、高齢者の冷え症の場合には、これらの病態を考慮する必要がある。

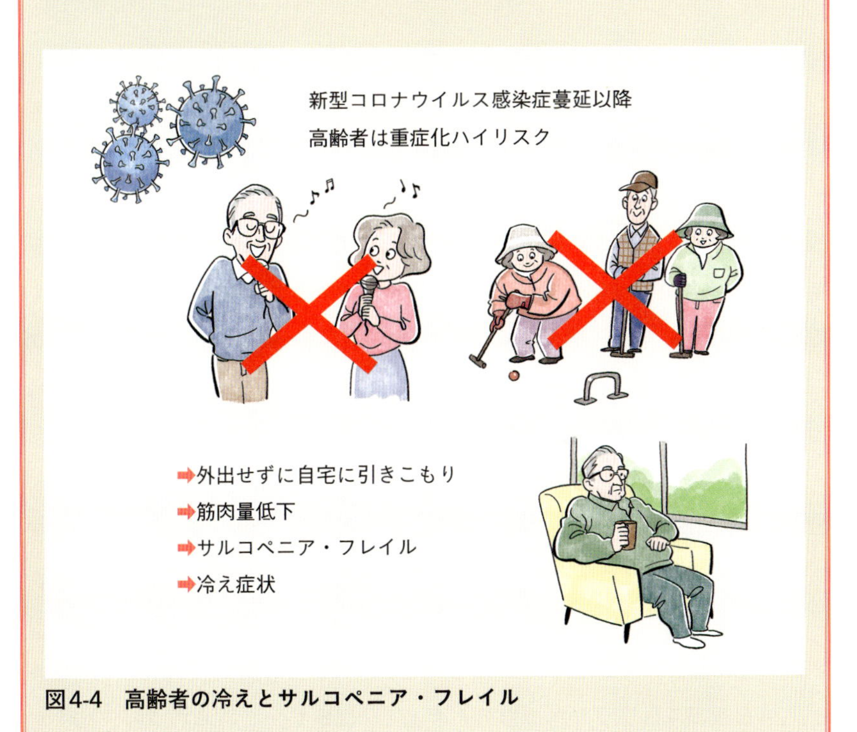

図4-4　高齢者の冷えとサルコペニア・フレイル

■ 引用・参考文献
1)　九嶋勝司．いわゆる「冷え症」について．産婦人科の実際．1956；5：603-8.

5 ピルと漢方　どう使う？

1　ピルとは？

一般内科医や、産婦人科医でも腫瘍や周産期を専門とする医師では、ホルモン製剤に苦手意識を持っている者が多いのではないだろうか？ ピルは、本来は排卵抑制による避妊効果を目的としたものであるが、最近は月経困難症（いわゆる生理痛）や過多月経に対する治療薬として保険適用のある製剤もある。産婦人科では、前者を経口避妊薬（oral contraceptives；OC）と呼ぶのに対して、後者を低用量エストロゲン・プロゲスチン配合薬（low-dose estrogen-progestin；LEP）と呼び区別するようになってきた。

日本で主に使用される製剤は大きく分けて、一相性（ホルモン含有量が均一）と三相性（ホルモン含有量が3段階に変化する）、低用量と中用量（含有するエストロゲン量の違い）などがあるが、基本的な作用機序や副作用は同様である。21日タイプと28日タイプについては、21日タイプのものはすべて実薬でプラセボを含有しない。28日タイプのものは2種類あり、21日実薬7日プラセボと、24日実薬4日プラセボのものとがある（**図5-1**）。これらのタイプのものは、月に1回の休薬によりちょうど月経のような消退出血を起こすことを基本としている。これに対して、休薬期間を設けずに途中で出血しなければ120日間連続投与を可能とするタイプのもの（フレックス処方）が使用できるようになった（**図5-2**）。これとは別に77日間連続投与する製剤も使用できるようになった（**図5-3**）。日本でのピルの普及率は諸外国と比べ極めて低い（約5%）が、LEP製剤の普及により、この5年の間での使用頻度は増加してき

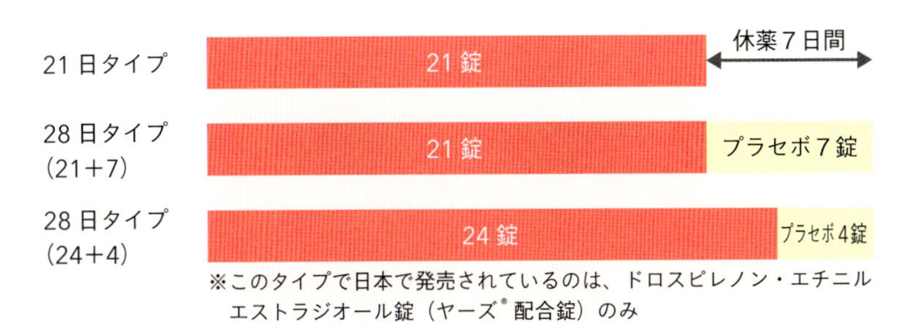

図5-1　ピルの投与タイプ（21日タイプと28日タイプ）

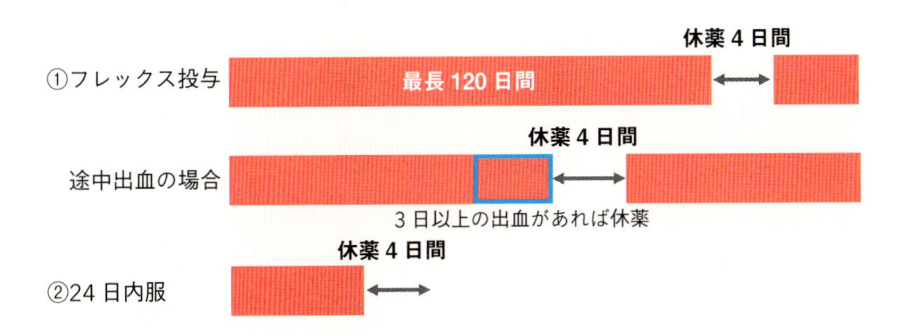

図5-2　ピルの投与タイプ（フレックス投与）
ヤーズフレックス®配合錠は1シートが28錠であり、①フレックス投与、②24日内服＋4日休薬の周期投与の2通りに使用できる。

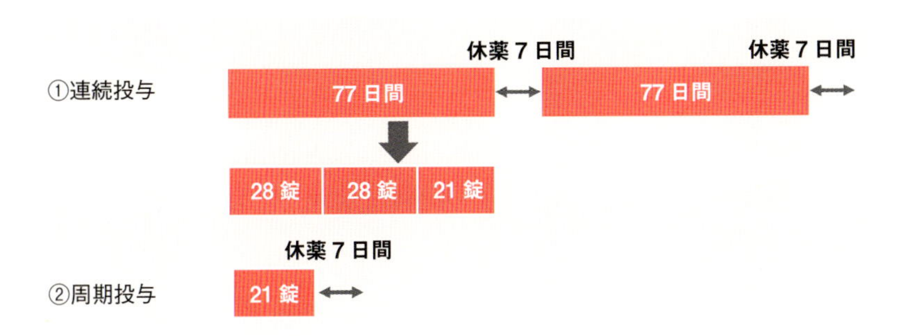

図5-3　ピルの投与タイプ（77日間連続投与）
ジェミーナ®配合錠は1シートが28錠と21錠の2タイプがあり、①連続投与では28錠シート2枚＋21錠シート1枚で合計77日分となる。②周期投与では、21錠シート1枚内服後に7日間休薬する。

ており、一般内科診療においても、ピル内服者に遭遇する機会は今後ますます増加していくことが予想される。

ピルの副作用には、頻度はかなり低いが、極めて重篤なものとして静脈血栓塞栓症（venous thromboembolism；VTE）があり、これに対しては漢方治療ではどうしようもない。ピル内服によるコンプライアンス低下の主な原因として頭痛、嘔気、不正出血があり、これらはある程度の頻度で起こり得る。これらのマイナートラブルへの漢方治療の応用を述べる。

2 頭痛への応用

本来、ピルを投与するにあたって、頭痛は気を付けるべき症状の一つであり、片頭痛に関しては、前兆のない片頭痛は慎重投与、前兆のある片頭痛は禁忌となる。ピルの投与は頭痛に対して増悪的に働く。女性の頭痛はホルモン変動が原因であり、ピル内服中の場合は休薬期間（プラセボ内服期間）に起こりやすい。漢方治療医学的には、頭痛は**水滞**(すいたい)症状（むくみ）が原因の一つとなっており、「**水**(すい)」をさばく処方を中心に用いる。持続投与でもよいが、月経周期の14日目あたりからピルと併用してもよい。

1. 当帰芍薬散(とうきしゃくやくさん)（図5-4）

「女性の3大処方」の一つで、むくみに対する改善作用が強い。芍薬(しゃくやく)、川芎(せんきゅう)には痛みをとる作用がある。月経痛の原因は漢方的には**瘀血**(おけつ)が原因とされており、**当帰芍薬散**(とうきしゃくやくさん)は**瘀血**に対する改善効果も期待できることから、病態の根本に対する改善効果も期待できる。

2. 五苓散(ごれいさん)

当帰芍薬散(とうきしゃくやくさん)との共通部分が多く、**水滞**症状に対する代表的な処方である。

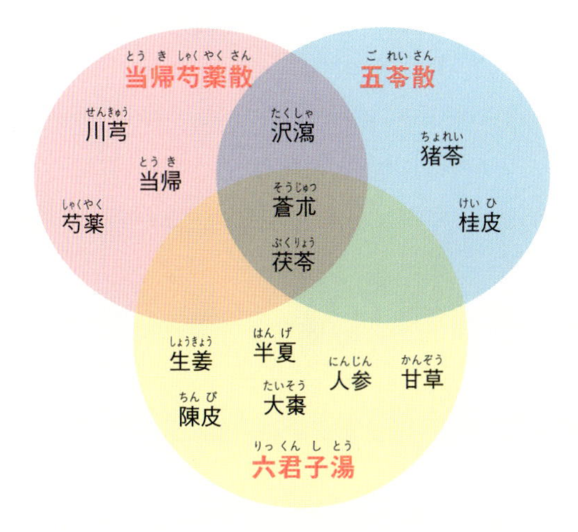

図5-4　当帰芍薬散、五苓散と六君子湯の構成生薬

3. 半夏白朮天麻湯

水滞症状からの頭痛に対する薬剤であるが、内容の半分は**六君子湯**であり、嘔気に対する改善効果も期待できる（**図5-5**）。構成生薬である天麻には、鎮痙・鎮静作用があり、単独でも頭痛に対する改善効果を持つ。

3　嘔気への応用

漢方治療医学的には、「**水**」をさばく処方が用いられる。嘔気はピルの内服初期から出現するため、同時に内服するのがよい。

1. 六君子湯

漢方の胃薬の代表処方であり、婦人科よりは内科での汎用処方と思われる。悪阻に使用する**小半夏加茯苓湯**の成分（半夏、茯苓、生姜）を含み、嘔気を抑える作用がある。「**水**」をさばく蒼朮と茯苓を含む。

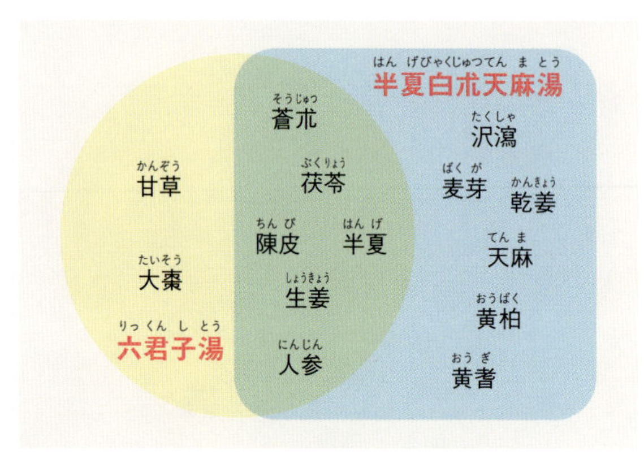

図5-5　六君子湯・半夏白朮天麻湯の構成生薬

2. 五苓散

本項の「2 頭痛への応用」で述べたとおりである。頭痛もあるようであれば、ピル内服の初期から同時に併用する。

4　不正出血への応用

最近のLEP製剤はエストロゲン量が少ない超低用量ピルのため、不正出血も多い。そのまま継続投与するのが基本的な対応方法であるが、内服時間のずれがないかといった内服状況、下痢・便秘の有無といった体調の確認も必要である。下痢傾向がひどい場合には、腸管からの薬剤吸収が不安定となり、血中のホルモン濃度が変動するために、不正出血の原因となり得る。西洋医学的には、よりエストロゲン含有量の多い中用量ピルへの切り替えを考慮するが、副作用で最も問題となるVTEを考えると望ましくない。漢方の止血剤を応用する。

1. 芎帰膠艾湯

保険適用があるのは痔出血に対してであり、注意が必要である。もともとは子宮出血に対する効果があり、下腹部の膨満症状に対しても使用できることから、子宮筋腫にも応用できる。構成生薬の阿膠に止血作用がある。不正出血があるようなら、ピルと併用投与する。

ピルとむくみ

ピルに含まれる黄体ホルモン作用により、水分貯留からの浮腫が見られる場合がある。**五苓散**、**当帰芍薬散**のような、**水滞**症状に使用する薬剤を併用することで、症状の改善を図ることができる。浮腫症状で気を付けなければならないのは、重篤な副作用であるVTE であり、欧米とは異なりピル内服が少なかった日本では、一般診療における診断・対応の不慣れが危惧される。VTEの初期対応で有益な方法として、「ACHES」を紹介する。「ACHES」はVTEで起こる以下の症状の頭文字を表したもので、これらの症状がなければ、VTEは否定的である。

A：abdominal pain（激しい腹痛）

C：chest pain（激しい胸痛、息苦しい、押しつぶされるような痛み）

H：headache（激しい頭痛）

E：eye/speech problems（見えにくい所がある、視野が狭い、舌のもつれ、失神、けいれん、意識障害）

S：severe leg pain（ふくらはぎの痛み・むくみ、握ると痛い、赤くなっている）

通常はVTE が原因のむくみに関しては、両側に生じることは少なく、左右差を認める。

Column

新型コロナウイルス感染症(COVID-19)に感染したら、ピル・HRTはどうするか?

COVID-19では、全身性の炎症により凝固能亢進が起こる。そのため、ピルやホルモン補充療法(HRT)による血栓リスクを考慮して、以下のように薬剤の中止などを考慮するような勧告が出されている。スペイン更年期学会からのもので[1]、日本産科婦人科学会も「ちゃんとしたEBMはないが」との但し書き付きであるが、これを紹介している。

【COVID-19重症、または軽症でも呼吸症状を伴う場合】

- OC・LEPやHRTを中止し、低分子ヘパリンを投与する。

【COVID-19軽症、または無症状の場合】

- OC・LEP使用者では、エストロゲン製剤以外の方法についても検討する。
- HRT使用者では、エストロゲン製剤を中止するか、または経皮製剤を用いる。

また、COVID-19のワクチンの接種前に、ピルやHRTを処方されている患者さんから、「ワクチンを接種して大丈夫ですか」と質問されることが多い。こちらは、ワクチンで血栓ができるわけではないので、「問題ありません」と答えている。一方、スウェーデンのコホート研究の結果からはHRTはCOVID-19による死亡リスクを低下させるとの報告もあり[2]、エストロゲンの血管保護作用により動脈硬化を予防して、良い作用をもたらすのだと思われる。

引用・参考文献

1) Ramírez I, Viuda EDl, et al. Managing thromboembolic risk with menopausal hormone therapy and hormonal contraception in the COVID-19 pandemic: Recommendations from the Spanish Menopause Society, Sociedad Española de Ginecología y Obstetricia and Sociedad Española de Trombosis y Hemostasia. Maturitas. 2020 ; 137 : 57-62.

2) Sund M, Fonseca-Rodríguez O, et al. Association between pharmaceutical modulation of oestrogen in postmenopausal women in Sweden and death due to COVID-19: a cohort study. BMJ Open. 2022 ; 12(2) : e053032.

6 抗不安薬と漢方どう使う?

1 抗不安薬の問題点

1995年の阪神・淡路大震災、2011年の東日本大震災、そして2020年からの新型コロナウイルス感染症（COVID-19）と、わが国においては歴史に残るような大変な出来事が連続していると言える。これまでの自然災害やパンデミックに関する疫学データからは、女性がストレスに対して脆弱な集団であることがわかっている。最近のCOVID-19感染初期の中国武漢のデータからも、女性がCOVID-19からのPTSDのリスクファクターであることが報告されている[1)]。欧米に比較してわが国においては、感染者数や重症者数が少なく、またロックダウンと言われるような、厳格な社会生活活動制限が実施されていないため、それほどのストレスを受けていないことが想定される。しかしながら、実際の臨床においては、COVID-19パンデミック後から、更年期障害や月経前症候群（PMS）が増悪している症例も経験される。また、高校生を対象とした、月経随伴症状に関する調査結果からは、2020年12月に実施したデータを2019年12月のデータと比較すると、COVID-19に対するPTSD症状を示す者において、PMS症状の重症度と月経痛の重症度が、有意に増悪していた[2)]。PMSの病因については不明な点が多いが、ストレスが増悪因子となる（**図6-1**）。さらに、学生の場合にはクラブ活動の制限からの運動不足やインターネット使用時間の増加、不規則な生活といった良くない生活習慣も、PMSの増悪因子となることが知られている。今回のCOVID-19によるパンデミックは2年を超える長期にわたっているのも特徴である。妊婦

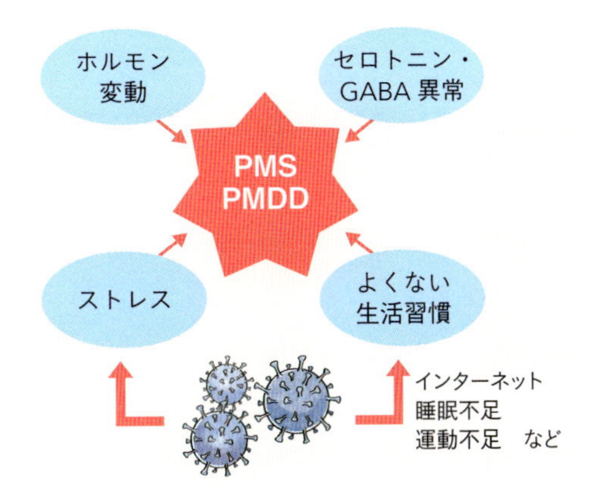

図6-1　PMS・PMDDの原因は？
PMDD：月経前不快気分障害、GABA：ガンマ・アミノ酪酸

における心理的苦痛を2021年7月にウェブ調査を用いて検討したところ、K6という評価スケールで10点以上の者が実に37.7%となり、2020年10月に実施された別の調査結果と比較して、約3倍に増悪していることがわかった（**図6-2**）[3)]。心理的苦痛は、うつ・不安・自殺のリスクとなることがわかっており、パンデミック遷延から非常なストレス状態にある可能性が示唆された。西洋薬の抗不安薬は、一般臨床において汎用される薬剤の一つと言える。ベンゾジアゼピン系で作用時間が短いもの（デパス®やリーゼ®）が使用される。すぐに効果が現れて、内服時のコンプライアンスも良いことから、患者サイドにも医師サイドにも非常に使い勝手のよい薬剤で、ついつい乱用しがちとなる。頓用で使用している場合はよいが、定期的に朝・昼・晩のように内服していると、次第に耐性ができて効果が少なくなり、薬をやめることができずに依存の状態となってしまう。このように抗不安薬が多用されているのは、わが国だけのおかしな現状である。

抗不安薬のもう一つの大きな問題点として、眠気が挙げられる。眠前の内服の場合には治療効果としての眠気は睡眠改善効果となり有用であるが、日

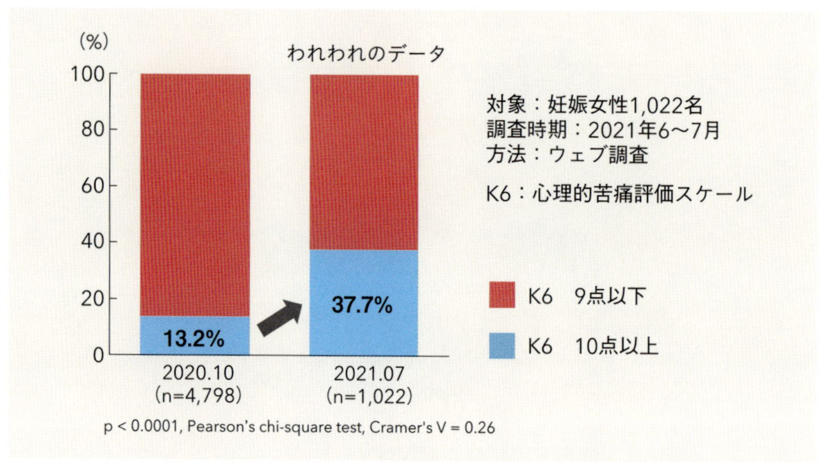

図6-2　コロナ渦における妊婦の心理的苦痛（文献3より作成）

中内服時の眠気は仕事の作業能率低下や、高齢者の場合には転倒につながるため注意が必要である。

2　抗不安作用における漢方薬の利点

漢方薬にも抗不安作用を期待して使用できる薬剤がいくつかあり、西洋薬にはないメリットがある。漢方薬に関しては、効果が現れても耐性ができるとは、経験上言われていない。作用が穏やかで長時間持続するものは、ベンゾジアゼピン系薬剤でも耐性ができにくいとされており、同様のことが漢方薬にも当てはまると思われる。デパス®やリーゼ®漬けになっている患者さんにうまく漢方を組み合わせることにより、ベンゾジアゼピン系薬剤の減量を図ることができる。その場合には、いきなり切り替えるのではなく、最初は漢方を併用し、効果があるようなら西洋薬を少しずつ減量していくのがコツである。

もう一つの利点としては、昼間の内服で眠気が出現することがない。夜間の睡眠改善が見られる場合でも、直接的に眠気をもよおして入眠させるのではなく、全般的な気分の安定化からの睡眠の改善作用が起こっているように思われる。そのことを示唆する症例を東日本大震災直後の東北大学病院で経験したので次に紹介したい。

3 眠くならない睡眠薬

2011年3月11日に発生した東日本大震災は東北を中心に大きな被害をもたらしたが、当時、私が勤務していた東北大学病院のある仙台市内も、沿岸部は津波により大きな被害を受けた。もともと通院されていた患者さんも、被災直後は社会・生活の混乱や交通手段の不通のため、来院することができなかったが、本震から2カ月くらいで再来院するようになってきた。まだまだこの時期は、震度4以上の大きな余震も発生しており、そのような患者さんたちには不眠やPTSD症状を訴える方が多く認められた。すでに近医から西洋薬の抗不安薬の投与を受けている患者さんもいたが、余震で夜間覚醒する際に足がふらついて危ないとか、昼間に眠気が残ってだるくて仕事ができないといったような訴えが多く見られた。

教師をしているある患者さんの場合には、震度4以上の地震が発生すると学校に出向く必要があり、抗不安薬を内服していると地震が起こっても目が覚めなかったり、車の運転をする際に居眠り運転をしてしまったりして危険であることから、内服をやめてしまった。そこで、漢方薬の**加味帰脾湯**(かみきひとう)を投与したところ、睡眠が改善しただけでなく、夜間覚醒しても普通に活動できるため、非常に感謝された。

4 「柴胡」がキードラッグ

抗不安作用を示す漢方薬はいくつかあるが、生薬の柴胡を含むものが多い。柴胡＝サイコロジーと覚えておけばわかりやすい。

柴胡を使用する**腹診**からのサインは、**胸脇苦満**といって、季肋部の圧痛や抵抗である（**図6-3**）。症状がきつい場合には、触診で押さなくても自発痛を訴える場合もある。精神安定作用のある生薬としては、ほかに酸棗仁、竜骨、牡蛎が挙げられる。酸棗仁はドキドキする症状をやわらげる。竜骨は動物の骨、牡蛎はカキの殻なので、カルシウムが主な成分で、カルシウムによる精神安定作用だと考えられる。

1．加味帰脾湯（図6-4）

柴胡、酸棗仁を含み、精神安定作用がある一方で、人参、黄耆を含み、元気にする作用もあり、**補剤**の一種と言える。**補剤**の代表選手である**補中益気湯**との共通点も多い。のぼせやほてりに効く山梔子も含む。**帰脾湯**は、柴胡と山梔子を含まないもので、より状態が落ち着いた高ぶりのない状態で使用する。山梔子で軟便となる場合があり、その場合は**帰脾湯**を使用するとよ

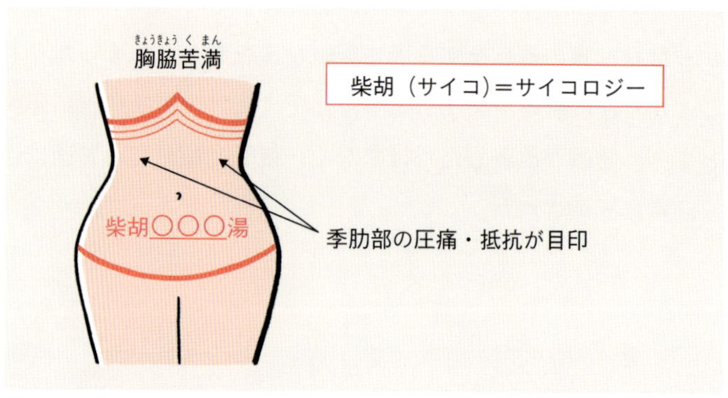

図6-3　柴胡を使用するサイン

い。最近の動物実験を用いた検討からは、**加味帰脾湯**が抗ストレス作用を持ち、オキシトシンを介して作用することが報告されている[4]（chapter 2-4のコラムを参照 GO 102ページ）。

2. 酸棗仁湯

ドキドキして眠れないときに使用する。文字通り酸棗仁を多く含み、**帰脾湯**や**加味帰脾湯**が酸棗仁を3g含むのに対して、**酸棗仁湯**は10g含む。**帰脾湯**や**加味帰脾湯**に組み合わせることで、作用を増強させることができる。

3. 抑肝散

情動を表す「**肝**」を安定化させる薬剤である。柴胡に加えて、鎮痙・鎮静作用のある釣藤鈎を含む。眼瞼けいれんや何となく体全体がピクピクして緊張が強いときに使用するとよい。神経が高ぶって眠れないときに使用する。**抑肝散**の投与により、ノンレム睡眠中の周期性脳波活動を改善することが示されており、睡眠の不安定性を改善する[5]。

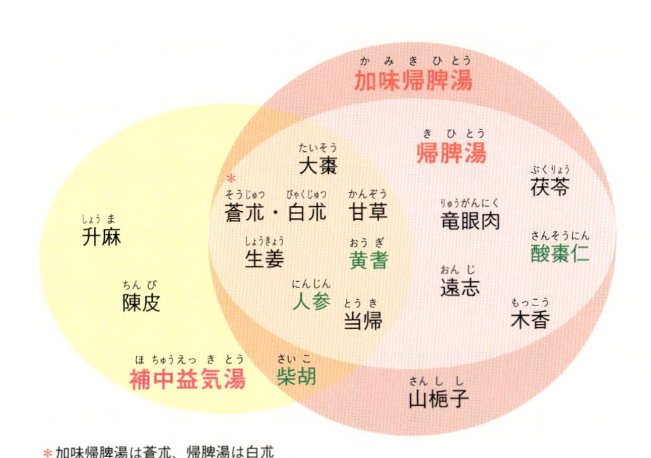

図6-4　加味帰脾湯、帰脾湯と補中益気湯の構成生薬

4. 柴胡加竜骨牡蛎湯（図6-5）

柴胡、竜骨、牡蛎の3つを含む。柴胡の含有が5gと、**抑肝散**の2gと比べて多い。もともと体力のある人の不眠・不安に使用する。イメージとしては、バリバリの商社マンが仕事をしすぎてストレスから不眠になったような場合だろうか？ 女性に使用することは少ないように思われる。ツムラの製剤には含まれないが、他のメーカーでは大黄が含まれるものもあり、その場合には便通の状態に注意が必要である。

竜骨とは？

竜というと、いかにも中国的な名前で、うさんくさいイメージを持たれる方も多いのではないかと思う。竜は当然ながら空想の動物であり、「竜骨」が竜の骨でないことは明らかである。実際には、動物の骨の化石が使用されており、漢方は本当に何でも使用するのだなと感心させられる。日本薬局方にもちゃんと記載があり、「大型ほ乳動物の化石化した骨で、主として炭酸カルシウムからなる」と書かれている。日本で使用される生薬は植物性のものが大多数だが、このような鉱物性のものも少数であるが使用されている。おそらくは昔の中国の人たちは、「竜骨」を竜の骨と考えて、一種の強精剤として使用していたのではないかと思う。いろいろ試しているうちに、心の強精剤として働くことがわかるようになり、**柴胡加竜骨牡蛎湯**としての組み合わせが編み出されたのではないだろうか？ それにしても、名前だけで効いてしまいそうな漢方である。

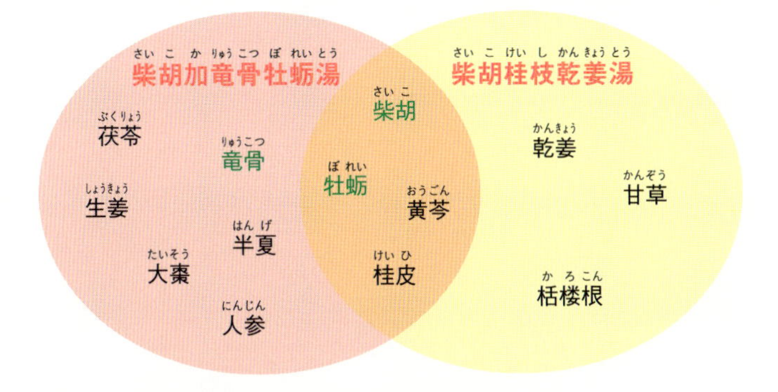

図6-5　柴胡加竜骨牡蛎湯と柴胡桂枝乾姜湯の構成生薬

5. 柴胡桂枝乾姜湯（図6-5）

同じく柴胡を5gと牡蛎を含む。これは、更年期障害でも汎用され、女性の心身症に使用する場合が多い。細かなことを気にするタイプの人に使用する。PTSDにも使用され、東日本大震災がきっかけのPTSDに対する改善効果が報告されている[6)]。乾姜を含み、温める作用もあることから、下半身が冷える人に使用するとよいとされている。

「肝」と「脾」

抑肝散の「**肝**」、**加味帰脾湯**の「**脾**」であるが、漢方の概念である**五臓**のなかの「**肝**」と「**脾**」を表す（chapter 1-①、**図1-6**を参照 GO 11ページ）。漢方薬の作用を理解する意味で、**五臓**のことも少し知っておくと便利である。「**肝**」は西洋医学的には情動・内分泌系・自律神経系を表し、障害を受けると「怒り」（イライラ）となる。これに対して、「**脾**」は消化機能を表し、障害を受けると「思い悩む」（うつうつ）となる（**図**

6-6)。**抑肝散**も**加味帰脾湯**もどちらも安定作用のある処方であるが、**抑肝散**は、感情が高ぶってイライラしているときに使用するとよい薬剤で、**加味帰脾湯**は、不安でうつうつとしているときに使用するとよい薬剤であることがわかり、使い分けを理解しやすいと思われる。

抑肝散　加味帰脾湯
の「肝」「脾」とは？漢方の概念的なもの

肝…情動・内分泌系・自律神経系
障害→ 怒り（イライラ）
脾…消化機能
障害→ 思い悩む（うつうつ）

肝臓
脾臓
臓器とは異なる

図6-6　漢方の安定剤

引用・参考文献

1） Liu N, Zhang, F, et al. Prevalence and predictors of PTSS during COVID-19 outbreak in China hardest-hit areas: Gender differences matter. Psychiatry Res. 2020 ; 287 : 112921.

2） Takeda T, Kai S, Yoshimi K. Association between Premenstrual Symptoms and Posttraumatic Stress Symptoms by COVID-19: A Cross-Sectional Study with Japanese High School Students. Tohoku J Exp Med. 2021 ; 255(1) : 71-7.

3） Takeda T, Yoshimi K, et al. Association Between Serious Psychological Distress and Loneliness During the COVID-19 Pandemic: A Cross-Sectional Study with Pregnant Japanese Women. Int J Womens Health. 2021 ; 13 : 1087-93.

4） Tsukada M, Ikemoto H, et al. Kamikihito, a traditional Japanese Kampo medicine, increases the secretion of oxytocin in rats with acute stress. J Ethnopharmacol. 2021 ; 276 : 114218.

5） Ozone M, Yagi T, et al. Effect of yokukansan on psychophysiological insomnia evaluated using cyclic alternating pattern as an objective marker of sleep instability. Sleep Biol Rhythms. 2012；10（2）：157-60.

6） Numata T, Gunfan S, et al. Treatment of posttraumatic stress disorder using the traditional Japanese herbal medicine saikokeishikankyoto: a randomized, observer-blinded, controlled trial in survivors of the great East Japan earthquake and tsunami. Evid Based Complement Alternat Med. 2014；2014：683293.

がん治療と漢方 どう使う？

婦人科がん治療患者においては、手術、抗がん剤、放射線治療により、腹部の不定愁訴に加えて、卵巣機能が喪失することで更年期と同様の症状が出現し、男性患者よりも愁訴が複雑化しやすい。乳がん患者においても、術後ホルモン治療により、卵巣機能が喪失することから、同様のことが言える。これらには、西洋薬だけでは十分な症状緩和が見られない場合があり、しばしば治療に難渋する。漢方をがん治療に使用するというと、漢方でがんを治すような怪しげな漢方がイメージされるが、がん治療患者の不定愁訴に対する緩和において、漢方治療は有効な手段の一つとして応用されるようになってきた。

1　婦人科がん治療患者の漢方治療に対する意識調査

がん治療を受けている患者サイドでは、漢方治療に対してどのような意識を持っているのであろうか？ 婦人科がん治療患者の漢方治療に対する意識調査の結果を示す[1)]。

東北大学病院婦人科腫瘍外来受診中の婦人科浸潤がん治療中・治療後患者を対象に、自記式のアンケート調査を行った（**表7-1**）。これらの対象者は通常の婦人科外来受診者であり、漢方治療は病名投与によるものが大部分であると見なされる。調査対象者427名のうち、漢方薬服用者は96名（22%）であった（**図7-1**）。サプリメント・健康食品摂取の有無についても併せて調査

表7-1　漢方治療に対する意識調査項目

1. 漢方薬は、がんの治療に対しても良い働きをする
2. 漢方薬は、症状を良くする薬である
3. 漢方薬は、長い間飲まないと効かない
4. 漢方薬は、西洋薬に比べて副作用が少ない
5. 漢方薬は飲みにくい
6. 漢方薬の投薬を受けたい（このまま続行したい）
7. 漢方薬は西洋薬と比べて効きが悪い
8. 漢方薬は西洋薬の副作用をやわらげるのにも役に立つ

※上記8項目に対して、「まったく思わない」「あまり思わない」「どちらでもない」「やや思う」「とても思う」の5段階で評価

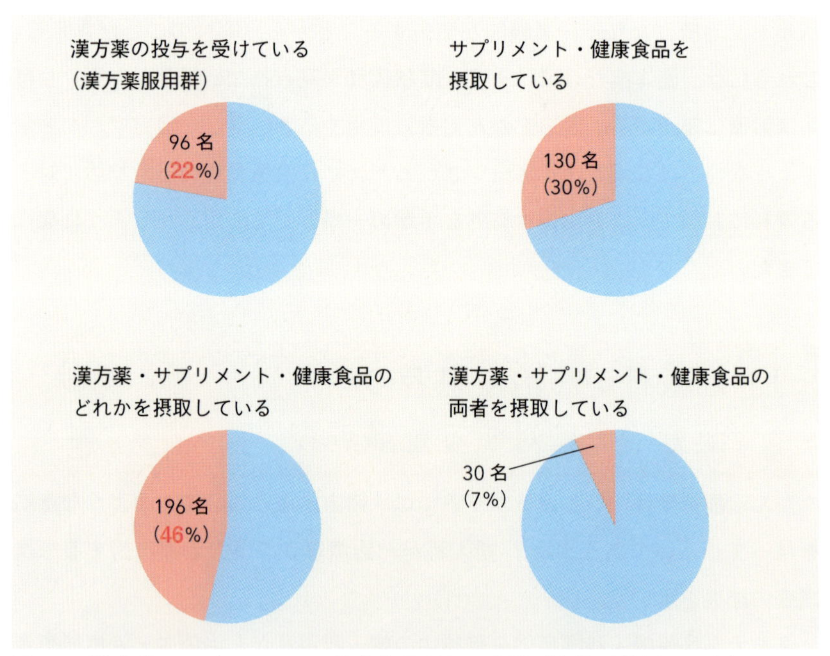

図7-1　漢方薬・サプリメント・健康食品服用の実態（有効回答例427名）

したが、これらのどれかを服用しているのは、46%と約半数に上る。**表7-1**の項目のうち、50%以上が「やや思う」「とても思う」と答えたのは、ポジティブな認識では「がん治療に対しても良い働きをする」「症状を良くする

薬である」「西洋薬に比べて副作用が少ない」「西洋薬の副作用をやわらげるのにも役に立つ」で、ネガティブな認識では「長い間飲まないと効かない」であり、婦人科がん患者は、漢方治療に対しておおむね好意的であると思われた。漢方薬服用の有無による比較を行ったところ、漢方薬服用者がより好意的な認識を示したのは「症状を良くする薬である」「西洋薬に比べて副作用が少ない」「投薬を受けたい（続行したい）」「西洋薬と比べて効きが悪い」の4項目であった。特に、漢方薬服用者において、漢方薬は西洋薬と比較して効きが悪いとは感じておらず、実際の漢方薬服用者においては、治療効果を認識している可能性が示唆された。

このように、漢方診療について患者は好意的な認識を示しており、漢方治療による治療効果をある程度認識していることは、注目に値すると思われる。

2 がん治療患者の副作用対策としての漢方治療

手術から術後追加治療の副作用対策、さらには終末期までと、漢方治療の応用範囲は幅広い（**表7-2**）。

1. 術後イレウス➡大建中湯

乾姜、山椒、人参、飴から成り立つシンプルな処方で、腹部を温める作用が強い。ヒトの腸管での血流増加作用を認める（**図7-2**）[2]。

2. 化学療法

補剤、すなわち胃腸を助けて元気にする薬を使用する。これらは、元気にする人参と／あるいは黄耆を構成生薬に含む。**六君子湯**、**補中益気湯**、**十全大補湯**が代表選手である（**図7-3**）。

表7-2　治療ステージ別の使い分け

治療ステージ	症状	漢方製剤
術　後	イレウス	大建中湯
化学療法	嘔気・嘔吐	六君子湯
	骨髄抑制	十全大補湯*
	倦怠感全般	補中益気湯
	しびれ（急性期）	牛車腎気丸*
	しびれ（慢性期）	疎経活血湯*
	口内炎	桔梗湯
終末期	補中益気湯⇒六君子湯	
不安・不眠	加味帰脾湯、帰脾湯、抑肝散	

※地黄を含んでおり、胃もたれに注意する

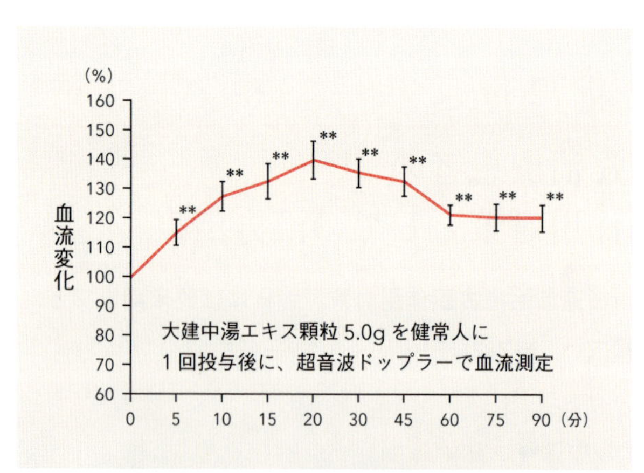

図7-2　大建中湯はヒト上腸間膜動脈の血流を増加させる
（文献2より改変）

①嘔気・嘔吐➡六君子湯

食欲を上げる作用がある。動物実験では**六君子湯**によるグレリン分泌促進を介して、シスプラチンを投与した食欲不振ラットの食事摂取を改善した[3]。つわりに使用する**小半夏加茯苓湯**の成分である半夏、生姜、茯苓を構成生薬

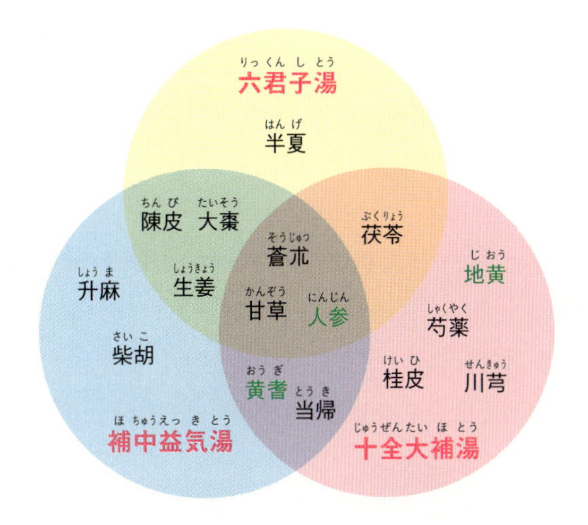

図7-3　六君子湯、補中益気湯と十全大補湯の構成生薬

に含む点からも、嘔気・嘔吐に使用できることがわかる。

②骨髄抑制➡十全大補湯

人参、黄耆に加えて、血を増やす生薬である地黄が加わる。「**気**」と「**血**」を両方増やす反面、地黄の副作用である胃もたれには注意が必要である。胃部の不快症状が出るようなら、**補中益気湯**や**六君子湯**へ変更する。

③倦怠感➡補中益気湯

人参、黄耆を含む。**六君子湯**との共通部分が多いが、半夏、茯苓が含まれないぶん、制吐作用は少ない。升麻には「**気**」を上げる作用があるとされ、文字通り「**気**」を益す作用を持つ。

④しびれ（急性期）➡牛車腎気丸

老化現象全般症状を改善する**補腎剤**の一つである。附子を含有しており、温める作用、痛みをとる作用もある。地黄（5g）を含んでおり、胃部症状には注意が必要である。胃部症状が出現するようなら、下記の**疎経活血湯**へ切り替える。

⑤しびれ（慢性期）➡疎経活血湯

構成生薬が17種類と多い。神経痛、関節痛、筋肉痛全般に使用できる。地黄を含んでいるが、2gと少ない。作用増強を目的にブシ末を併用してもよい。

⑥口内炎➡桔梗湯

構成生薬は桔梗と甘草の2種類のみのシンプルな処方で、扁桃炎に使用される。口腔、扁桃、咽頭などの粘膜面の炎症を直接的に抑える作用があり、お湯に溶かしてから口に含んで内服したり、うがい薬として使用するとよいとされている。口内炎は分子標的薬の副作用としてみられることが多い。**半夏瀉心湯**も同様に使用し得る。

3. 終末期

倦怠感全般には**補中益気湯**を使用する。さらに、食欲が減退してくるようなら、**六君子湯**へ切り替える。

4. 不安・不眠（すべての治療ステージで使用／併用）

がん患者は診断の初期段階から、不安状態がスタートしており、治療・再発などにより、不安は増幅される。そのため、不眠症状を合併することも極めて多い。西洋薬では抗不安薬としてのベンゾジアゼピンが汎用されるが、昼間の眠気やだるさのため、ADLを障害する場合がある。精神安定作用のある漢方の薬剤は、昼間に内服しても通常は眠気を自覚することは少なく、使用しやすい。

①加味帰脾湯、帰脾湯

人参、黄耆を含み、**補剤**の仲間であり、安定作用だけでなく、元気にする作用を持つ。地黄を含まないが、「**血**」を増やす作用もあり、化学療法中に**補剤**として使用するのにもよい。**加味帰脾湯**には、**補中益気湯**のかなりの部分が含まれている（**図7-4**）。**加味帰脾湯**は**帰脾湯**に漢方の安定剤である柴胡

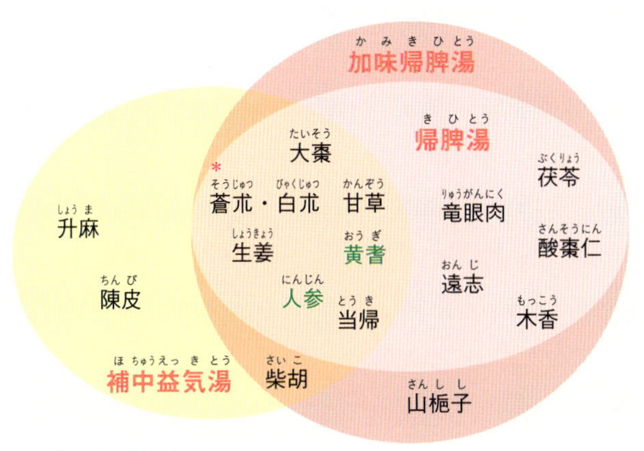

図7-4　加味帰脾湯、帰脾湯と補中益気湯の構成生薬

とほてりを鎮める山梔子を加えたもので、高ぶりが強い場合や、卵巣欠落症状でほてりがある場合に使用するとよい。

②抑肝散

もともとは、子どもの夜泣きや疳の虫の薬であることからも、ストレスに対する処方であることがわかる。

5. 卵巣機能欠落症状

エストロゲン依存性腫瘍である子宮体がんや乳がんにおいては、卵巣摘出や追加治療としての抗エストロゲン療法が行われる。これらに伴う卵巣欠落症状は基本的に更年期症状と同様の病態・症状であるが、急激なホルモン変動により、更年期症状よりも症状がきつい場合が多い。また、がん患者における不安症状が組み合わさって、難治性の場合も多い。具体的な処方についてはchapter 2-⑥⑦「更年期障害」を参照していただきたい（GO 109ページ、124ページ）。

3 「手当」とは「手を患者に当てる」こと

「大学病院で医者に体を触ってもらったのは、先生が初めてや！」。漢方外来でがんの患者さんにこのようなことを言われることがある。腫瘍マーカーと画像だけの診療は、近未来の医療においては、医師ではなくてAI（人工知能）に取って代わられることであろう。人間らしい医療のためには、患者さんの話をよく聞き、体を触って所見を取る漢方治療を併用することは、「いいお医者さんになる」という意味で、有効な手段の一つだと考える。

■ 引用・参考文献

1） Takeda T, Yamaguchi T, Yaegashi N. Perceptions and attitudes of Japanese gynecologic cancer patients to Kampo（Japanese herbal）medicines. Int J Clin Oncol. 2012；17（2）：143-9.

2） Takayama S, Seki T, et al. The herbal medicine Daikenchuto increases blood flow in the superior mesenteric artery. Tohoku J Exp Med. 2009；219（4）：319-30.

3） Yakabi K, Kurosawa S, et al. Rikkunshito and 5-HT2C receptor antagonist improve cisplatin-induced anorexia via hypothalamic ghrelin interaction. Regul Pept. 2010；161（1-3）：97-105.

8 保険診療での注意点

煎じ薬でも保険診療での処方は可能であるが、ほとんど大多数はエキス剤での処方である。ここではエキス剤での保険診療での注意点に絞って解説する。

1　漢方薬でも病名が必要

極めて当然のことであるが、「漢方は漢方的な診断に基づくのであるから西洋医学的な病名は不要である」といったように、病名が必要であることを理解していないレセプトも散見される。最近の診療端末で病名チェックができるのであれば問題ないが、漢方薬の適応病名を自分で調べるには添付文書やメーカーが出版している処方集（ツムラであれば茶色の小冊子『ツムラ医療用漢方製剤』）に記載されている「効能または効果」を参考にして病名を決める。女性の診療では**血の道症**といった漢方医学的な病名が使用できることを知っておくと便利である。女性の自律神経失調症状全般に使用することができる。逆に男性患者に対して**血の道症**と病名をつけるのは医学的に不適切となり、査定の対象となる。

2　同じ名前の処方でも
1包当たりの投与量が異なる

漢方製剤メーカーとしては、ツムラが圧倒的に有名であるが、他にも多く

表8-1　保険診療で使用される主なエキス剤製造メーカー

・株式会社ツムラ〔ツムラ〕
・クラシエ薬品株式会社〔クラシエ〕
・小太郎漢方製薬株式会社〔コタロー〕
・大杉製薬株式会社〔オースギ〕
・三和生薬株式会社〔三和〕
・ジェーピーエス製薬株式会社〔JPS〕
・太虎精堂製薬株式会社〔太虎堂〕
・株式会社東洋薬行〔東洋〕
・松浦薬業株式会社〔マツウラ〕
・高砂薬業株式会社〔高砂〕
・康和薬通有限会社〔ジュンコウ〕
・帝國漢方製薬株式会社〔テイコク〕
・株式会社阪本漢方製薬〔サカモト〕
・東亜薬品工業株式会社〔東亜〕
・本草製薬株式会社〔本草〕

※ツムラが全体の83.4%のシェアを占める（2021年3月末）。

のメーカーが存在しており、クラシエ、オースギ、コタローなどのメーカーがある（**表8-1**）。**桂枝茯苓丸**を例に挙げると、1包当たりのグラム数はツムラが2.5gなのに対して、クラシエが2.0g、オースギが1.5gのように、それぞれが異なっている。よく使用するツムラの製剤が2.5gなので、ついついツムラ以外のメーカーを処方する際に1日量を7.5gで処方してしまうと過量投与となり、査定対象となる。クラシエの製剤に関してはもう1点注意が必要で、分2製剤が分3製剤と併存している点である。**桂枝茯苓丸**であれば、分3製剤なら1包が2.0gなのに対して、分2製剤は1包が3.0gとなるので、分2製剤を間違って1日3包＝9g処方すると過量投与となり、これも当然ながら査定の対象となる。

3　同じ名前の処方でもメーカーによって適応が微妙に異なる場合がある

漢方薬にはジェネリックが存在しないことからわかるように、製薬メーカーが異なると同じ名前の処方でも別の薬となる。ほとんどの製剤は同じ名前であれば、適応は同じであるが、いくつかの処方に関しては、適応が微妙に異なる場合がある。**加味逍遙散**は、ツムラを代表とするほとんどの製薬メーカーの製剤において、効能・効果で「体質虚弱な婦人で」という制限があるが、コタローの製剤ではこのような女性に限定するような記載は認めない。また、**香蘇散**においては、ツムラの製剤の効能・効果では、「胃腸虚弱で神経質の人の風邪の初期」とされているのに対して、コタローの製剤では、感冒以外に「頭痛、ジンマ疹、神経衰弱、婦人更年期神経症、神経性月経困難症」といったより広い適応がある。これら2剤に関しては、ツムラよりもコタローの方が使用しやすいことがわかる。

4　1日当たりの最大総投与量は？

明確な基準は明示されていないが、一般的には2剤満量（分3製剤なら3包×2剤）プラスもう1剤は満量ではなく減量（分3製剤なら1～2包）で、8包が最大投与量とされている場合が多い（**図8-1**）。ただし、漢方に限らず保険審査は、各都道府県の社保や国保により審査基準が微妙に異なっており、審査が厳しい都道府県であれば2剤満量が限界となっている場合もある。

小児の場合の漢方エキス剤投与量は？

いくつかの投与基準があるが、厚生労働省から以下のような小児用量の基準が示されている。

- 15歳未満7歳以上………成人用量の2/3
- 7歳未満4歳以上…………成人用量の1/2
- 4歳未満2歳以上…………成人用量の1/3
- 2歳未満…………………………成人用量の1/4以下

保険診療では、ここから大きく離れる量を投与すれば、過量投与として査定される。

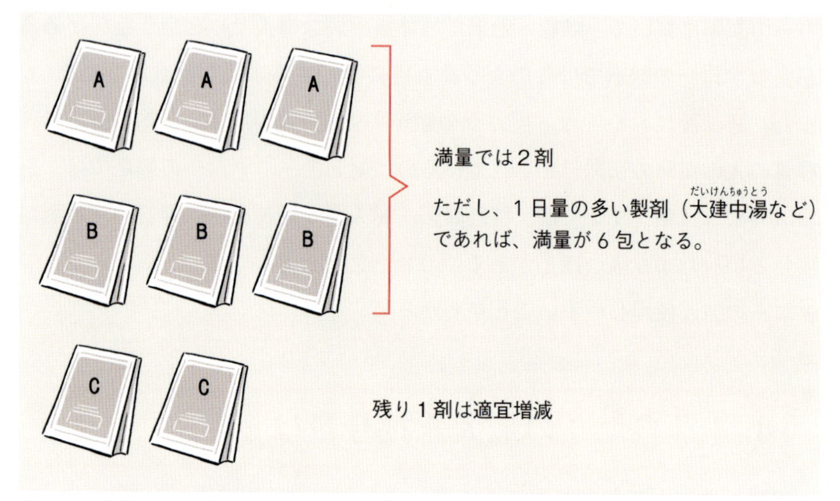

図8-1　保険で出せるエキス剤の最大投与量（分３製剤の場合）

実際のところは、1回に3包を内服するのは患者としてもなかなか大変なことで、これ以上の投与量を必要とするのであれば、漢方にこだわらずに西洋薬で対応できないかを工夫する必要もあるのではないかと思う。投与量が多い場合には、社保や国保の一次審査で査定されなくても健保組合の再審査で疑義が生じる場合も多いので、本当に必要であれば症状詳記を付けて必要性を明示しておくことが望ましい。

5　特に注意が必要な処方

もともとの漢方治療医学的な使用方法とは別に、病名投与で処方される際に問題が生じる場合が多い。

1. 柴苓湯（さいれいとう）

エキス製剤においては最も薬価が高いため、健保組合の再審査で疑義の対象になりやすい。産婦人科領域で問題となるのは習慣流産に対する投与であり、適応がないために査定の対象となってしまう。**柴苓湯**が持つステロイド作用を習慣流産へ応用した使用方法であるが、しっかりしたEBMがあるとは言い難い。また、術後のケロイド予防や多嚢胞性卵巣（polycystic ovarian syndrome；PCO）の排卵障害に対しても**柴苓湯**が使用されているようだが、これらについても適応外での使用となる。もともと**柴苓湯**の適応があるのは、水瀉性下痢、急性胃腸炎、暑気あたり（夏バテや熱中症のこと）、むくみである。慢性胃腸炎として長期処方がされている場合にも査定対象となる可能性がある。

2. 補中益気湯

漢方製剤の中では比較的薬価が高く、これも査定の対象となりやすい。がん病名（例えば、卵巣がん）や精神疾患病名（例えば、統合失調症）だけでの処方の場合には査定対象となる。食欲不振や倦怠感といった病名があれば認められる。また、不妊治療で男性へ投与される場合もあるが、適応があるのは陰萎であり、男性不妊の病名だけでは査定対象となる。

3. 小柴胡湯

漢方で起こり得る重篤な副作用である間質性肺炎との関連で有名な処方である。医学的に肝硬変、肝がんでは投与禁忌となっているため、これらの疾患患者への投与は医学的に不適当であり、当然査定の対象となる。

4. ブシ末

エキス剤が、生薬を煎じた液体を乾燥させて粉末にしたものであるのに対して、生薬の粉そのものを内服する製剤が存在する。末剤と呼ばれるもので、汎用されるのは**ブシ末**である（GO 30ページ）。**ブシ末**の効能または効果には「漢方処方の調剤に用いる」との記載が認められるが、この文書が意味するところは、他のエキス剤との併用で使用するという意味である。したがって、**ブシ末**（まつ）単独での使用は査定対象となる。

また、社保・国保ともに財政事情はどこも厳しく、西洋薬に比べて薬価の安い漢方製剤に関しても、機械的な病名チェックで査定してくる場合が多い。漢方のことをよく知らない審査委員が担当した場合には、そのまま保険者の意見のまま、本来では正しい病名がついているのに査定されてしまう場合もある。明らかにおかしな査定がついた場合には、再審査請求を考慮することも必要である。

「漢方薬のジェネリックを希望します」

たまに患者さんからリクエストされることがあるが、漢方薬にはジェネリックは存在しない。各社から同じ名前の製剤が作られているが、実はそれぞれが別々の薬となっている。すなわち、ツムラ○○散とコタロー○○散は別々の薬であり、ものによると適応も微妙に異なるものがある。薬価もそれぞれの製薬メーカーにより異なり、通常はツムラのものが一番高くなっており、やはり一流メーカーということなのだろう。

Column

HRTと漢方、LEPと漢方、併用して同種同効薬で査定されませんか？

西洋薬では、胃潰瘍に対してH_2ブロッカーとプロトンポンプ阻害薬（proton pump inhibitor；PPI）を同時に処方することはできない。更年期障害にホルモン補充療法（HRT）を処方し、さらに更年期障害に適応のある漢方薬を処方したら、同種同効薬で査定されることはないか？　最近の健保組合の厳しい財政状況を反映して、健保組合からの再審査では、本当に言いがかりとしか言えない指摘や審査委員をだますような指摘が多くみられる。しかし今のところ、西洋薬と漢方薬との組み合わせで査定されるような事例は認めないように思われる。

chapter2

漢方治療と女性疾患

1 月経前症候群（PMS）・月経前不快気分障害（PMDD）

主な症状

イライラ　おちこみ　不安感
情緒不安定　乳房痛　腹部膨満感

患者さんからの訴え

・普段は気にならないことで無性に腹が立つ。
・わけもなく涙が出る。
・眠くてしかたがない。
・甘いものを食べだすと止まらなくなる。
・月経前にこれらの症状が出て、月経が始まると落ち着く。

問診

・月経周期のどのタイミングで症状が出現するか？
・月経前以外にも同じような症状がないか？
漢・便通の状態はどうか？
漢・むくみやすさの程度は？

アプローチ

月経前症候群（premenstrual syndrome；PMS）は、黄体期に続く多様な精神症状・身体症状で、月経開始4日以内に減弱・消失することを特徴とする。症状は多岐にわたり、細かいものも含めると150種類以上にのぼるとされている。重症型で精神症状主体の場合は、月経前不快気分障害（premenstrual dysphoric disorder；PMDD）と分類する。PMSは産婦人科での診断で、PMDDは精神科での診断であるが、重症型のPMSをPMDDとする場合が多い。また、両者を別々の疾患として捉えるのではなく、連続したものとするPMDs（premenstrual disorders）が提唱されるようになってきた[1]。2018年に新しく制定されたICD-11において、PMSとPMDDが同じ区分（diseases of the female genital system）に分類されたのは、このような流れを受けたものと思われる。日本の成人においては、社会生活に支障が出る中等症以上のPMSが5.4%、PMDDが1.2%と報告されて

表1-1　月経前症候群（PMS）診断基準（米国産婦人科学会）

身体的症状	情緒的症状
・乳房痛 ・腹部膨満感 ・頭痛 ・手足のむくみ	・抑うつ ・怒りの爆発 ・いらだち ・不安 ・混乱 ・社会からの引きこもり

【診断基準】
①過去3カ月間以上連続して、月経前5日間に、以上の症状のうち少なくとも1つ以上が存在すること
②月経開始後4日以内に症状が解消し、13日目まで再発しない。
③症状が薬物療法やアルコール使用によるものでない。
④診療開始後も3カ月間にわたり症状が起こったことが確認できる。
⑤社会的または経済的能力に、明確な障害が認められる。

表1-2　月経前不快気分障害（PMDD）診断基準（米国精神医学会DSM-5）

A．ほとんどの月経周期において、月経開始前最終週に少なくとも5つの症状が認められ、月経開始数日以内に軽快しはじめ、月経終了後の週には最小限になるか消失する。
B．以下の症状のうち、1つまたはそれ以上が存在する。 ①著しい情緒不安定（例：突然悲しくなる、または涙もろくなる、または拒絶に対する敏感さの亢進） ②著しいいらだたしさ、怒り、易怒性、または対人関係の摩擦の増加 ③著しい抑うつ気分、絶望感、自己批判的思考 ④著しい不安、緊張、「緊張が高まっている」とか「いらだっている」という感情
C．さらに、以下の症状のうち1つまたはそれ以上が存在し、上記Bの症状と合わせると、症状は5つ以上になる。 ①日常の活動に対する興味の減退（例：仕事、学校、友人、趣味） ②集中困難の自覚 ③倦怠感、易疲労性、または気力の著しい欠如 ④食欲の著明な変化、過食、または特定の食べ物への渇望 ⑤過眠または不眠 ⑥圧倒される、または制御不能という感じ ⑦他の身体症状、例えば乳房の圧痛または腫瘍、関節痛または筋肉痛、「膨らんでいる」感覚、体重増加
D．症状は、臨床的に意味のある苦痛をもたらしたり、仕事、学校、通常の社会的活動や他者との関係を妨げたりする（例：社会活動の回避、仕事または学校での生産性や能率の低下）。
E．この障害は、他の障害、例えばうつ病、パニック障害、持続性抑うつ障害（気分変調症）、またはパーソナリティ障害の単なる症状の増悪ではない（これらの障害はいずれも併存する可能性はあるが）。
F．基準Aは、症状のある性周期の少なくとも連続2回について、前方視的に行われる毎日の評定により確認される（診断は、この確認に先立ち、暫定的に下されてもよい）。

注：A～Cの症状は、先行する1年間のほとんどの月経周期で満たされていなければならない。

おり[2]、また思春期においても成人と同等以上に発症を認め[3]、多くの女性のQOLを障害するが、わが国では社会的認知が遅れているのが現状である。

診断には、PMSでは米国産婦人科学会の診断基準（**表1-1**）が、PMDDでは米国精神医学会診断統計マニュアル（DSM-5）の診断基準（**表1-2**）が用いられる。これらの診断基準においては、前向き2周期間の連日の症状記録により評価をすることが記載されているが、実臨床においての実施はなかなか難しいのが現実である（患者さん自身が症状をつけるのが面倒くさい!）。米国の家庭医を対象として行われた調査結果によると、前向き2周期間の連続的な症状日誌を診断に用いていると答えた者は11.5%しかいない[4]。実際の臨床では、月経前症状によって日常生活に支障が出るようであれば、治療を考えてもよい。採血によるホルモン検査などでは異常値は認められず、診断は臨床症状に依るしかない。厳密な診断には、症状日誌による月経周期2周期間の評価が必要であり、世界的にはDaily Record of Severity of Problems（DRSP）が推奨されている[5]。実際の運用は、臨床試験などの研究的な場面に限定されるかもしれない。われわれは日本語版DRSPを作成し妥当性・信頼性の検証を行い[6]、いくつかの臨床試験・治験において症状評価に利用している。また、われわれはより簡便なスクリーニングツールであるPremenstrual Symptoms Questionnaire（PSQ）をDSMに基づいて作成しており、これに関しても信頼性・妥当性を検証済みである（**表1-3**）[7]。PMS症状は多岐にわたるため、PSQを使用することにより、DSMに記載されたような症状に準拠して評価することができ、イライラが強いタイプや不安が強いタイプなど、系統だった評価ができ、病態を能率的に把握することが可能となる。他の精神疾患の鑑別において、うつ病やパニック障害などでも月経前に症状増悪を認める場合がある。症状が月経周期の中のどのタイミングで出現するか、月経開始により症状が減弱・消失するかを評価することが重要である（**図1-1**）。

治療はカウンセリング・生活指導と薬物療法とに分けられる。まず、治療の第一段階として、PMSやPMDDに関する正しい情報を患

表1-3 PSQ

（＊日常診療での利用は自由ですが、研究目的・営利目的で利用される際には著者の許可が必要です）

(A) 生理が始まる1～2週間前より次のような症状が現れますか？	
1　悲しい感じ、おちこんだ感じ、ゆうううつ、絶望感、自分自身が価値のない存在であると感じたり、罪の意識を感じた。	□1. まったくない　□2. 軽度　□3. 中等度　□4. 重度
2　不安、緊張、興奮、イライラした感じ。	□1. まったくない　□2. 軽度　□3. 中等度　□4. 重度
3　突然悲しくなったり涙もろくなった。拒絶に対して過敏になったり感情が傷つきやすくなった。	□1. まったくない　□2. 軽度　□3. 中等度　□4. 重度
4　怒りを感じたり、怒りやすくなる。	□1. まったくない　□2. 軽度　□3. 中等度　□4. 重度
5　普段の活動（友人、趣味、学校）に興味がわかない。	□1. まったくない　□2. 軽度　□3. 中等度　□4. 重度
6　ものごとに集中できない。	□1. まったくない　□2. 軽度　□3. 中等度　□4. 重度
7　無気力を感じたり、あきあきしたり、疲労を感じた。	□1. まったくない　□2. 軽度　□3. 中等度　□4. 重度
8　常にお腹がすいており食べ過ぎた。あるいは特定の食べ物に執着を感じた。	□1. まったくない　□2. 軽度　□3. 中等度　□4. 重度
9　寝過ぎた、朝起きるのがつらかった。あるいは寝付けなかったり夜中に目が覚めた。睡眠の状態が普段と違った。	□1. まったくない　□2. 軽度　□3. 中等度　□4. 重度
10　圧倒された感じがしたり、うまく対処できないと感じた。あるいは自制できないと感じた。	□1. まったくない　□2. 軽度　□3. 中等度　□4. 重度
11　乳房のはりや痛みを感じた。頭痛、関節痛、または筋肉痛を感じた。体重増加や体のむくみを自覚した。	□1. まったくない　□2. 軽度　□3. 中等度　□4. 重度
(B) 以上1から11の不快な症状の少なくとも1つで下記のようなことがありますか？	
1　職場、学校、自宅での日常生活で仕事、勉強、家事がはかどらなくなった。	□1. まったくない　□2. 軽度　□3. 中等度　□4. 重度
2　趣味やクラブ活動・社会活動への参加をやめたり参加回数が減った。	□1. まったくない　□2. 軽度　□3. 中等度　□4. 重度
3　他人との関係に支障を来した。	□1. まったくない　□2. 軽度　□3. 中等度　□4. 重度
(C) このようないやな感じは生理が始まると数日以内になくなるか軽くなった。	
□1. はい　□2. いいえ	

（文献7より作成）

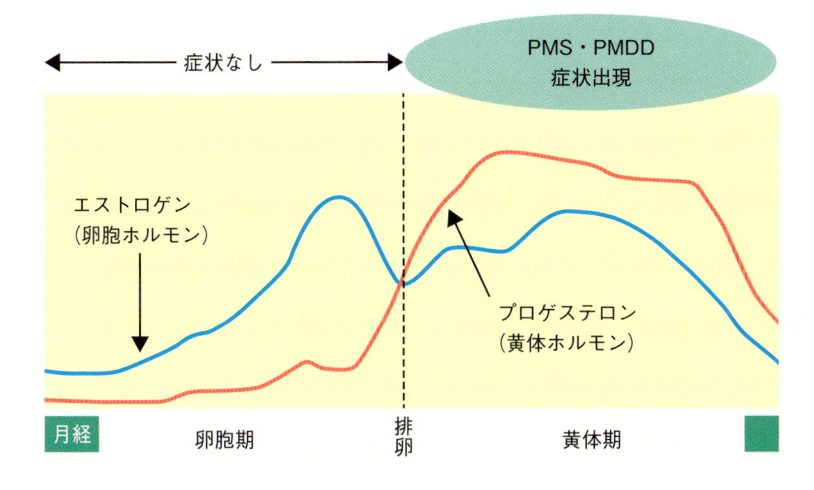

図1-1　PMS・PMDDの症状出現時期

者に伝え、疾患についての理解を促すとともに、日々の症状を簡単に記録してもらい、症状の出現するタイミング、重症度の認識につなげる。また、症状出現のタイミングがわかることにより、不要不急の用事については調子の悪い時期を避けるなど、仕事の予定を調整することが可能となる。生活習慣としては、規則正しい生活、十分な睡眠、適度な運動量のスポーツを定期的に行うことが推奨されている。

標準治療としては、黄体ホルモン抑制をターゲットとした経口避妊薬（oral contraceptive；OC）（避妊ピル）を用いた排卵抑制と、脳内伝達物質であるセロトニンをターゲットとした選択的セロトニン再取り込み阻害薬（selective serotonin reuptake inhibitors；SSRI）投与の2つがある。従来型のOCに関しては、身体症状の改善には有効であるが、精神症状改善に関する有効性は証明されてない[8)]。新しい世代のプロゲスチンであるドロスピレノンを含有したOCであるヤーズ®

配合錠のみ、身体症状・精神症状の両者に対する改善効果が証明されている[9]（保険適用は月経困難症）。ホルモン変動が症状増悪につながることが想定されているが、PMS症状のあるものに対してのOC使用に関しては、周期投与ではなく連続投与が推奨されている[5]。わが国においても、ヤーズフレックス®配合錠とジェミーナ®配合錠の2種類が使用できるようになった（Chapter1-⑤、**図5-2**、**図5-3**を参照 GO 35ページ）（保険適用は月経困難症）。OC全般に共通する副作用であるが、発生頻度は低いものの重篤な合併症を引き起こす血栓症に留意し、リスクとベネフィットを考慮して投薬することが必要である。SSRIの投与法には、月経前症状が出る黄体期のみに投与する周期投与法と、月経周期に関係なく投与する持続投与法とがある。周期投与で効果が不十分であれば、持続投与へ変更する。通常は、最低量の少量投与により改善する場合も多い（うつでの投与量の半量・・・例：エスシタロプラム〈レクサプロ®錠〉0.5錠/日）。未成年者や若年成人への投与については、うつ病に対する投与で自殺企図が増加する危険性があることが添付文書において警告されており、十分に注意する。

漢方治療ひとさじ

OCやSSRIには副作用の問題があり、使用しにくい場合があるのに対して、漢方薬は副作用が少なく使用しやすい。「女性の3大処方」に**桃核承気湯**（とうかくじょうきとう）を加えた4剤（chapter 1-②**図2-7**を参照 GO 19ページ）を使い分け、精神安定作用のある処方を用いる。両者を併用してもよい。PMS症状は多様であり、どの処方がそれらの症状をカバーできるかを考えて使い分ける。

1 加味逍遙散

名前のごとく症状が「逍遙」する（次々に移り変わる）ものに使用する。すなわち、更年期障害などの不定愁訴に対する代表処方と言える。血管運動神経症状と精神神経症状とが入り混じった症状に対して用いる。構成生薬としては、柴胡、薄荷、山梔子といった「**気**」に働く生薬が含まれている。PMSに対するファーストチョイスである。PMS症状の改善とともに月経痛も改善する場合が多い。蒼朮や茯苓といった**利水**作用を持つ生薬も含まれているが、作用が不十分であれば、当帰芍薬散を併用してもよい。OCであるヤーズ®配合錠も弱い利尿作用を持っており、漢方治療との共通点を認める点で興味深い。

■注意点

あまりよく知られていないが、弱い下剤作用もあり、普段から下痢傾向の症例には注意が必要である。

2 当帰芍薬散

最も**虚証**タイプのものに使用する。症状的には、やせていて色白、冷え、虚弱体質、頭痛、めまい、肩こり、体に水がたまりやすいこと（浮腫傾向）を特徴とする。漢方治療医学では、水がたまりやすい（**水毒**）のが原因で頭痛やめまい、肩こりが起こると考えられており、これらは一連の症状と考える。構成生薬には、蒼朮、沢瀉、茯苓といった**利水**作用を持つ生薬が含まれている。

3 桂枝茯苓丸(けいしぶくりょうがん)

当帰芍薬散(とうきしゃくやくさん)よりは、より**実証**(じっしょう)タイプのものに使用する。**瘀血**(おけつ)症状が強く、症状としては冷えのぼせが特徴である。精神神経症状が軽度のものに用いる。「下腹部に抵抗のあるものに用いる」とされており、下腹部膨満感といった身体症状が強い場合に処方する。

4 桃核承気湯(とうかくじょうきとう)

桂枝茯苓丸(けいしぶくりょうがん)より、さらに**実証**タイプのものに使用する。症状的には**桂枝茯苓丸**(けいしぶくりょうがん)に似るが、精神神経症状はより強いものに用いる。便秘が強いことが使用目標となる。構成生薬としては、大黄(だいおう)、桃仁(とうにん)、芒硝(ぼうしょう)といった下剤作用のある生薬が含まれている。古典的にはPMSの重症型であるPMDDに対するファーストチョイスとされる。

■注意点

下剤作用としてはかなり強めであり、投与できる対象は限られてくる。1日3包を投与する必要性はなく、便通の状態をみながら投与量を調整する。

5 抑肝散(よくかんさん)

認知症の周辺症状に対する治療効果で有名な薬剤であるが、漢方での概念である「**肝**(かん)」は「情動・自律神経」といった意味合いを持ち、感情の安定化に効果を示す。**加味逍遙散**(かみしょうようさん)と作用が似るが、**加味逍遙散**(かみしょうようさん)にはない構成生薬である釣藤鈎(ちょうとうこう)には鎮静・鎮痙効果があり、全体的に緊張が強くて、顔の筋肉がピクピクしたような人に使用するとよい（**図1-2**）。作用を増強するために**加味逍遙散**(かみしょうようさん)と併用するのもよい。

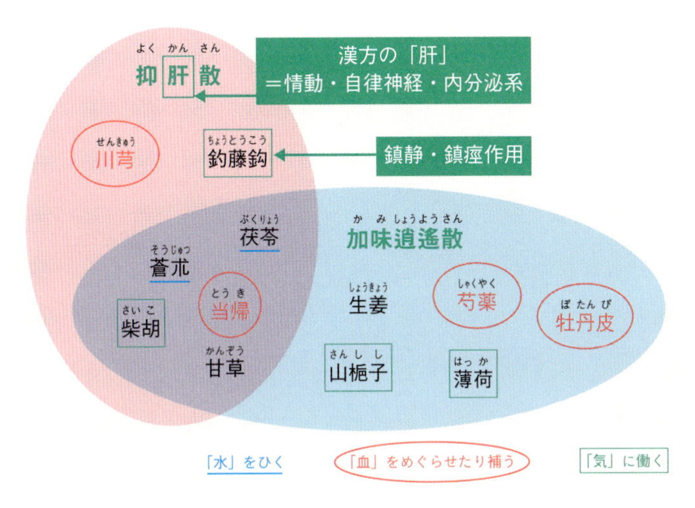

図1-2　加味逍遙散・抑肝散の構成生薬

6　加味帰脾湯

抑肝散と同様に安定作用のある薬剤であるが、不安作用に対する効果が強い。PMS症状では、イライラだけでなく、漠然とした不安症状を訴えることも多い。構成生薬としては、「黄耆」「人参」を含む元気にする作用のある薬剤（補剤）であり、PMS症状の疲労感へも対応できる（**図1-3**）。

7　甘麦大棗湯

夜泣き、ひきつけに適応のある処方であるが、ヒステリー様症状への応用が可能である。即効性が期待でき、頓用での使用が可能である。

■注意点

PMSや血の道症への保険適用はなく、保険病名への注意が必要である。

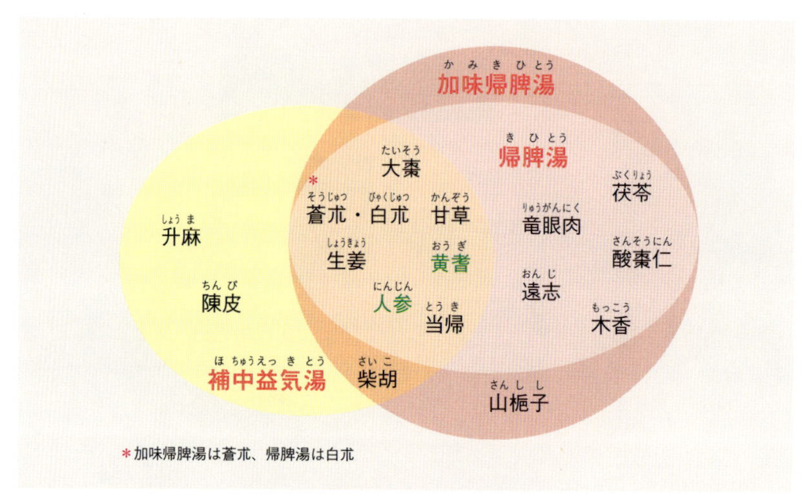

図1-3　加味帰脾湯、帰脾湯と補中益気湯の構成生薬

甘草を5g含有しているため、1日3包で使用することによる偽アルドステロン症に注意する（chapter 2-②のコラムを参照 GO 89ページ）。

8　川芎茶調散

月経に伴う頭痛へ使用できる。**血の道症**への保険適用がある。即効性があり、頓用での使用や、月経前のいつも症状が出現する時期に合わせての使用が可能である。香附子や薄荷といった**気**を巡らしすっきりさせる生薬も含まれており、PMS症状の出現時期に合わせて内服してもよい。

なぞの薬：甘麦大棗湯

甘麦大棗湯は名前の通りで、甘草、小麦、大棗の3種類の構成生薬から成るシンプルな処方である。甘草は甘味料としても使用され、大棗はナツメで、味は甘くて飲みやすい。さて、小麦はコムギのことで、本当にこんなものに精神安定作用があるのかと疑いたくなる。ただし小麦は、われわれがパンなどとして食べるようなコムギとは異なり、成熟する前の若いコムギを使用する。本当の作用機序は不明であるが、麦にはマグネシウムが多く含まれているようで、マグネシウムには鎮痙・鎮静作用があることから、効果が認められるのかもしれない。閉所恐怖症傾向のあるがん患者さんで、CT検査の前に頓服してなんとか検査を受けているような方もいる。

■注意点

茶葉が含まれているが、これは緑茶のことであり、カフェインが含まれている。眠前の投薬は注意が必要である。

漢方治療ふたさじ

OCやSSRIによる治療で、ある程度の症状改善が見られるが不十分な場合、漢方を併用する。

ヤーズ®配合錠は精神症状・身体症状を改善するというEBMを持つが、精神症状が残存することが多いように思われる。その場合に、**加味逍遙散**や**抑肝散**といった、主に精神症状を改善させる作用を持つ漢方を併用する。また、SSRIの場合には、逆に身体症状が残存する場合が多いと思われる。その場合には、**当帰芍薬散**や**桂枝茯苓丸**といった、主に身体症状を改善させる作用を持つ漢方を併用する。月経前に便秘が増悪する場合には、**桃核承気湯**を夕食後に1包追加することにより、PMS症状の改善も併せて期待できる。プラセボ内服期間やフレックス処方の休薬期間にホルモン変動に伴い頭痛が出現する場合がある。このタイミングを狙ってあらかじめ**川芎茶調散**を併用する。

Column

「PMSだとホルモンバランスが悪いと聞きました。将来妊娠できますか？」

巷のネット情報では、PMSは女性ホルモンバランスが崩れているために起こるようなことが記載されており、このような質問を外来で受けることがしばしばある。実際には、排卵がある人でないとPMSは起こらないわけで、PMSがあるということは排卵していることの証拠と考えられる。したがって、PMSがあるのなら排卵しているはずで、「将来妊娠するにあたっては、とりあえず女性ホルモン的には安心ですよ」と、患者さんには説明するのがよいかと思う。もちろん、治療でOCや低用量エストロゲン・プロゲスチン配合薬（low-dose estrogen-progestin；LEP）を使用している場合には排卵が抑制されているわけで、妊娠することはできない。挙児希望がある場合には、漢方治療は有効な手段となる。妊娠するとPMS症状はなくなるが、妊娠前にPMS症状があることは、産褥うつのリスクファクターとなることが報告されており[10]、これはこれで注意が必要と思われる。

PMSに対するジエノゲスト投与

子宮内膜症治療薬であるジエノゲストをPMS治療へ応用するのはどうであろうか？ヤーズ®配合錠の効果がない場合や副作用などで内服できない場合、排卵抑制するジエノゲストの使用も効果が期待できそうである。GnRHアゴニストやアンタゴニストとは異なり、エストロゲンレベルもある程度は維持できて長期投与できる意味では都合がよさそうである。しかしながら、ジエノゲストは黄体ホルモン製剤であり、プロゲストーゲンがPMS症状を引き起こすことには注意が必要である。排卵抑制からの改善効果とプロゲストーゲンとしての増悪効果とのシーソーとなる**（図1-4）**。実際に投与を受けている患者さんの感想としては、これまで月経前に認めた症状が軽くはなるが、周期に関係なく持続するようになるらしく、分割払いになった分、社会生活はしやすくなるらしい。おそらくは、プロゲストーゲンによりどれだけPMS症状が起こるかには個人差がありそうで、個別化した対応が必要と思われる。

図1-4 ジエノゲストとPMS

■引用・参考文献

1) O'Brien PMS, Bäckström T, et al. Towards a consensus on diagnostic criteria, measurement and trial design of the premenstrual disorders: the ISPMD Montreal consensus. Arch Women Mental Health. 2011 ; 14(1) : 13–21.

2) Takeda T, Tasaka K, et al. Prevalence of premenstrual syndrome and premenstrual dysphoric disorder in Japanese women. Arch Womens Ment Health. 2006;9(4) :209-12.

3) Takeda T, Koga S, Yaegashi N. Prevalence of premenstrual syndrome and premenstrual dysphoric disorder in Japanese high school students. Arch Womens Ment Health. 2010;13(6):535-7.

4) Craner JR, Sigmon ST, McGillicuddy ML. Does a disconnect occur between research and practice for premenstrual dysphoric disorder (PMDD) diagnostic procedures? Women Health. 2014 ; 54(3) : 232-44.

5) Management of Premenstrual Syndrome: Green-top Guideline No. 48. BJOG. 2017 ; 124(3) : e73-e105

6) Takeda T, Kai S, Yoshimi K. Psychometric Testing of the Japanese Version of the Daily Record of Severity of Problems Among Japanese Women. Int J Womens Health. 2021 ; 13 : 361-7.

7) Takeda T, Yoshimi K, Yamada K. Psychometric Testing of the Premenstrual Symptoms Questionnaire and the Association Between Perceived Injustice and Premenstrual Symptoms: A Cross-Sectional Study Among Japanese High School Students. Int J Womens Health. 2020 ; 12 : 755-63.

8) Graham CA, Sherwin BB. A prospective treatment study of premenstrual symptoms using a triphasic oral contraceptive. J Psychosom Res. 1992;36(3):257-66.

9) Lopez LM, Kaptein AA, Helmerhorst FM. Oral contraceptives containing drospirenone for premenstrual syndrome. Cochrane Database Syst Rev. 2012; (2) :CD006586.

10) Buttner MM, Mott SL, et al. Examination of premenstrual symptoms as a risk factor for depression in postpartum women. Arch Womens Ment Health. 2013 ; 16(3) : 219-25.

2 月経困難症

主な症状

腹痛　腰痛　嘔気

患者さんからの訴え

- 腹部に周期的に引きつるような痛みがある。
- 腰に鈍い痛みがある。
- 痛みとともにむかつく。
- 体のだるさやほてりがある。

問診

- 月経開始とともに症状が出現するか？
- 月経量はどうか？
- 腹部に膨満感はあるか？
- 漢 便通の状態はどうか？
- 漢 むくみやすさの程度は？

アプローチ

月経困難症は、月経に伴う症状（月経随伴症状）の代表的なもので、通常は月経の初日から数日の出血量が多いときに認める場合が多い。プロスタグランジンによる子宮筋の過収縮が痛みの原因とされる。原因疾患として子宮筋腫、子宮内膜症、子宮腺筋症が挙げられるが、大半のケースでは器質性疾患を認めず、機能性月経困難症とされる。特に思春期においては、約90%が機能性月経困難症である。月経血が多い過多月経の場合には、子宮筋腫や子宮腺筋症の存在を考慮し、腹部の圧迫症状（頻尿や膨満感）がある場合には、子宮筋腫の存在を考慮する。器質的な疾患が存在し、薬物療法での改善が見られない場合には、手術療法が必要となる。

月経困難症のファーストチョイスは薬物療法であり、鎮痛薬（非ステロイド性抗炎症薬〔non-steroidal anti-inflammatory drug；NSAIDs〕など）を使用する。アセトアミノフェンはプロスタグランジン合成阻害作用が弱く、月経困難症治療薬としてはふさわしくない。経口避妊薬（OC）（避妊ピル）も治療薬として使用され、保険適用のあるものは、低用量エストロゲン・プロゲスチン配合薬（LEP）と呼ばれる（**表2-1**）。LEP製剤として、休薬期間を設けずに途中で出血しな

表2-1　保険適用のある経口避妊薬（LEP）

・ルナベル®配合錠LD（EE35μg＋NET）
・フリウェル®配合錠LD（EE35μg＋NET）
・ルナベル®配合錠ULD（EE20μg＋NET）
・ヤーズ®配合錠、ヤーズフレックス®配合錠（EE20μg＋DRSP）
・ジェミーナ®配合錠（EE20μg＋LNG）

EE：エチニルエストラジオール（卵胞ホルモン）
NET：ノルエチステロン（黄体ホルモン）
DRSP：ドロスピレノン（黄体ホルモン）
LNG：レボノルゲストレル

ければ120日間連続投与を可能とするタイプのもの（ヤーズフレックス®配合錠）と77日間連続投与するタイプのもの（ジェミーナ®配合錠）も使用できるようになった。これらの連続投与の方が、従来の周期投与に比較して、痛みの改善効果に優れる。OC全般に共通する副作用であるが、発生頻度は低いが重篤な合併症を引き起こす血栓症に留意し、リスクとベネフィットを考慮して投薬することが必要である。黄体ホルモンであるレボノルゲストレル（LNG）放出子宮内システム（IUS）であるミレーナ®は、月経困難症の改善効果が確認され、2014年11月、月経困難症に対しても保険適用が認められた。

漢方治療ひとさじ

OCには副作用の問題があり、使用しにくい場合があるのに対して、漢方薬は副作用が少なく使用しやすい。漢方治療医学では、月経困難症の原因を**瘀血**（おけつ）として考え、治療には**駆瘀血剤**を使用する。「女性の3大処方」**（図2-1）**と鎮痛作用のある処方を用いる。両者を併用してもよい。

1 当帰芍薬散（とうきしゃくやくさん）

最も**虚証**（きょしょう）タイプのものに使用する。症状的にはやせていて色白、冷え、虚弱体質、頭痛、めまい、肩こり、体に水がたまりやすいこと（浮腫傾向）を特徴とする。構成生薬の川芎（せんきゅう）には痛みをとる作用がある。

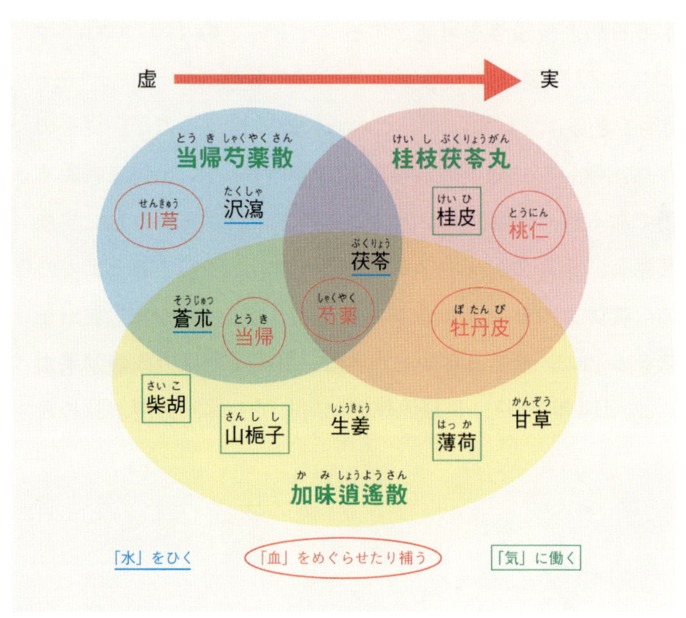

図2-1 「女性の3大処方」の構成生薬

2 桂枝茯苓丸

当帰芍薬散よりは、より**実証**タイプのものに使用する。**瘀血**症状が強く、症状としては冷えのぼせが特徴である。「下腹部に抵抗のあるものに用いる」とされており、下腹部膨満感といった身体症状が強い場合に用いる。

3 加味逍遙散

名前のごとく症状が「逍遙」するものに使用する。すなわち、更年期障害などの不定愁訴に対する代表処方と言える。月経前症候群（PMS）に対するファーストチョイスであるが、月経困難症とPMSは合併することが多く[1)]、PMS症状の改善とともに月経痛も改善する場合が多い。

■注意点

あまりよく知られていないが、弱い下剤作用もあり、普段から下痢傾向の症例には注意が必要である。子宮内膜症合併例では、月経時に軟便となる場合も多く、注意が必要である。

4 芍薬甘草湯

文字通り芍薬と甘草の2剤から構成されるシンプルな薬剤であるが、筋肉に対する抗けいれん作用が強く、即効性が期待できる。月経痛は子宮筋の攣縮による痛みである。

■注意点

1日3回投与では甘草の摂取量が6gと多くなることから、偽アルドステロン症への注意が必要であり、頓用使用が望ましい（コラムを参照 GO 89ページ）。

5 当帰建中湯

当帰芍薬散からむくみを取る成分（沢瀉、蒼朮、茯苓）をなくして、**芍薬甘草湯**を合体させたような内容である（**図2-2**）。月経前が一番むくみやすくて、月経開始とともにむくみが取れるので、月経以外の21日間は**当帰芍薬散**を処方し、月経時7日間に**当帰建中湯**を処方してもよい。

6 安中散

胃薬として有名な処方であるが、構成生薬の延胡索に鎮痛作用がある。NSAIDsと併用してもよい。

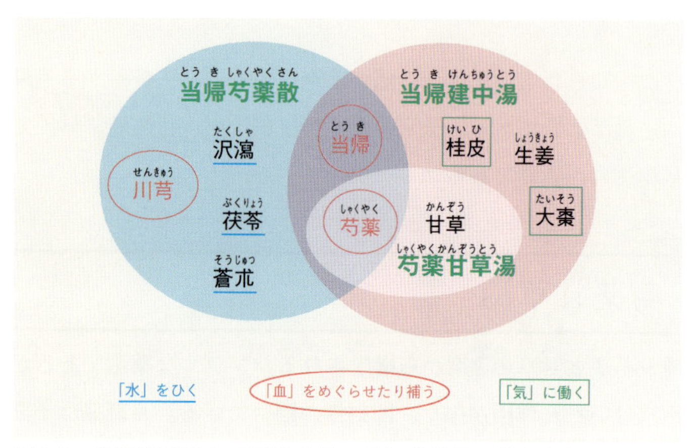

図2-2　当帰芍薬散と当帰建中湯、芍薬甘草湯の構成生薬

漢方治療ふたさじ

血栓症の心配がないミレーナ®であるが、子宮内装着後にかなりの頻度で発生する不正出血が問題となる。ここに漢方治療が応用できる。痔出血に使用する**芎帰膠艾湯**を用いる。

1　芎帰膠艾湯

止血作用のある阿膠を構成生薬に含む。ほかには、当帰、地黄といった「**血**」に働く生薬、痛みをとる芍薬や甘草も含まれており、月経困難症に対する効果が期待できる。

■注意点

痔出血に対する適応しかないのには注意が必要である。

月経痛以外の症状では、不明熱として、37℃台後半の微熱で紹介されてくるケースがある。悪性疾患や膠原病といった原因を除外する。

1 小柴胡湯（しょうさいことう）

小柴胡湯（しょうさいことう）が著効する場合がある。月経時に7日間投与する。**小柴胡湯**（しょうさいことう）は漢方の抗炎症薬である。

■注意点

副作用として間質性肺炎が起こる場合があり、注意する。肝硬変・肝癌の患者、インターフェロン投薬中には投与禁忌となる。

漢方薬ならではの副作用～偽アルドステロン症

漢方薬には副作用が少ないイメージがあり、実際の発現頻度も西洋薬に比べると低いのだが、漢方薬ならではの副作用があるのも事実である。その中で、**小柴胡湯**（しょうさいことう）の間質性肺炎と甘草（かんぞう）による偽アルドステロン症が有名である。また、腸間膜静脈硬化症という稀な疾患と山梔子（さんしし）との関連性を示唆する報告が認められており[2]、因果関係は確定的なものではないが注意が必要である（Chapter2-⑥のコラムを参照GO 119ページ）。

偽アルドステロン症がどのようなメカニズムで発症するのかを**図2-3**に示す。甘草（かんぞう）に含まれるグリチルリチンは、11-beta-hydroxysteroid dehydrogenase（11β-ヒドロキシステロイドデヒドロゲナーゼ）の活性を阻害することにより、コルチゾールの代謝をブロックする。その結果として、コルチゾールが過剰となる。コルチゾールは、アルドステロンと同じくらいミネラルコルチコイド受容体（MR）に対する結合能力を持ち、アルドステロンレセプターであるMRを活性化する。このようにアルドステロンシグナルが活性化されることにより、浮腫や高血圧、低カリウム血症が引き起こされる。はっきりした裏付けはないが、1日投与量で甘草2.5g以上の場合には注意が必要だとされている。また、薬局で売られているOTC製剤には、漢方薬であるが別の名前をつけて売られているものもあり（小林製薬のコムレケア®＝**芍薬甘草湯**）、知らないうちに甘草を摂取している場合もあり、病院処方の漢方製剤と合計されてかなりの量の甘草を摂取してしまうことも起こり得るため、OTC製剤にも注意が必要である。偽アルドステロン症は、発症を疑って投薬を中止すれば速やかに症状は改善するので、定期的なフォローをきっちりしていれば、通常は重篤化することはなく、過度に怖がる必要はない。

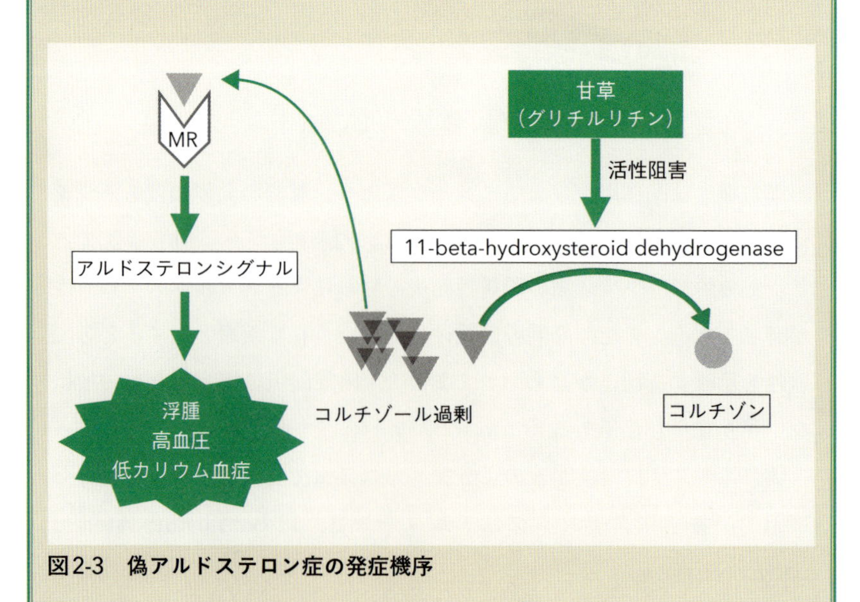

図2-3　偽アルドステロン症の発症機序

小柴胡湯の合剤にも注意が必要

小柴胡湯の投薬時には、間質性肺炎の副作用に注意が必要なのはいうまでもないが、**小柴胡湯**には合剤が多いのにも注意が必要である。ちゃんとした知識がないと、ぱっと名前をみただけでは、**小柴胡湯**の合剤であることがわからない場合もある。**小柴胡湯加桔梗石膏**ならさすがにわかると思うが（**小柴胡湯**＋**桔梗石膏**）、**柴朴湯**（**小柴胡湯**＋**半夏厚朴湯**）と**柴苓湯**（**小柴胡湯**＋**五苓散**）に関しては要注意である。これらの薬剤を投与する際には、やはり**小柴胡湯**と同様の注意が必要と考えられる。また、例えば単なる浮腫に対しての投与であれば、**柴苓湯**を投薬するのではなく、**五苓散**を投薬するべきである。副作用を回避するためだけでなく、薬価の違いにも注意していただきたい（ツムラの場合、１g当たりで**柴苓湯**45.3円に対して、**五苓散**13.8円）。ちなみに、**柴苓湯**の薬価は漢方エキス製剤の中では、最も高い。

■ 引用・参考文献

1) Kitamura M, Takeda T, et al. Relationship between premenstrual symptoms and dysmenorrhea in Japanese high school students. Arch Womens Ment Health. 2012；15（2）：131-3.

2) Shimizu S, Kobayashi T, et al. Involvement of herbal medicine as a cause of mesenteric phlebosclerosis: results from a large-scale nationwide survey. J Gastroenterol. 2017 Mar;52(3):308-14.

3 過多月経

主な症状

大量出血　めまい

患者さんからの訴え

・月経血で下着が汚れてしまう。
・体動時に動悸が生じる。
・ふらつきがある。
・体がだるい。
・外出できない。

問診

・日常生活への障害（外出困難など）の程度は？
・動悸、めまい、ふらつきなどの貧血症状の程度は？
漢・胃は丈夫か？

アプローチ

過多月経は、月経に伴う症状（月経随伴症状）の代表的なもので、子宮筋腫や子宮腺筋症といった器質的疾患によるものと、器質的疾患のないものとに分けられる。超音波検査などによる器質的疾患のルールアウトが必要で、特に腹部の圧迫症状（頻尿や膨満感）がある場合には子宮筋腫の存在を考慮する。

過多月経のファーストチョイスは薬物療法であり、経口避妊薬（OC）（避妊ピル）や低用量エストロゲン・プロゲスチン配合薬（LEP）を使用する（chapter 2-②、**表2-1**を参照 GO 84ページ）。厳密には、LEP製剤の過多月経への保険適用はなく、月経困難症に対する適応となる。ホルモン療法以外では、トラネキサム酸（処方例：トランサミン®2g/日）を月経開始時より投与する。

漢方治療
ひとさじ

黄体ホルモンであるレボノルゲストレル（LNG）放出子宮内システム（IUS）であるミレーナ®には、過多月経の改善効果があり、2014年に保険適用が認められた。

漢方治療
ふたさじ

貧血症状がない場合にも、必ず血液検査でHb値などを調べる。

漢方治療ひとさじ

漢方では止血剤である**芎帰膠艾湯**（きゅうききょうがいとう）を用いる。

漢方治療ふたさじ

ミレーナ®の副作用の不正出血には**芎帰膠艾湯**（きゅうききょうがいとう）を用いる。

意外に使えるトラネキサム酸？

止血剤としてのトラネキサム酸に対して、気休めのように思われている方も多いかと思う。しかし、トラネキサム酸は有効性がコクランレビューにも記載されており[1]、過多月経に対するEBMは確立されていると言える。注意が必要なのは、海外の有効性報告では投与量がかなり多く（2.5～4g/日）、国内における1日量（0.75～2g）では最大投与量である2gを投与する必要がある。

過多月経に対する臨床的な治療効果としては、トラネキサム酸投与により月経血量が約2/3になるのに対して、OC/LEP製剤投与では約1/3への減少を認める。**芎帰膠艾湯**の治療効果は、トラネキサム酸との比較試験での非劣性が報告されており[2]、実際の臨床的な治療効果は感覚的にはトラネキサム酸と同等程度だと思われる。

1 芎帰膠艾湯

止血作用のある阿膠を構成生薬に含む。ほかには、当帰、地黄といった「**血**」に働く生薬、痛みをとる芍薬、甘草も含まれており、月経困難症に対する効果も併せて期待できる。

■注意点

痔出血に対する適応しかないのには注意が必要である。阿膠と地黄は胃にもたれる場合があるので、普段から胃が丈夫でない場合には注意する。胃もたれを予防するために、食後に投与した方がよい場合もある。

漢方治療みさじ

貧血に伴う倦怠感などに対して**十全大補湯**を用いる。

1 十全大補湯

がん治療中の骨髄抑制や免疫力アップでよく知られるが、「**血**」を増やす作用も強い。「**気**」を増やす人参や黄耆に加えて、「**血**」を増やす生薬である地黄が加わり、「**気**」と「**血**」を両方増やす。貧血そのものへの改善は期待できないが、貧血に伴う症状への改善効果は期待できる。

■注意点

地黄の副作用である胃もたれには注意を要するが、胃薬である**四君子湯**の成分を含んでおり、がん患者以外での投与においては問題になることは少ない（**図3-1**）。「血」を増やしたりめぐらせたりする基本処方の**四物湯**と漢方

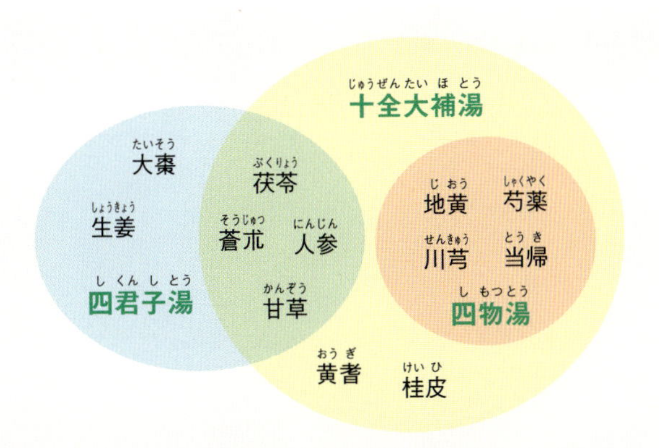

図3-1　十全大補湯、四君子湯と四物湯の構成生薬

の胃薬の基本処方である**四君子湯**(しくんしとう)とをうまく組み合わせた処方だと言える。

阿膠(あきょう)は貴重品

阿膠(あきょう)は生薬の止血剤として、いくつかの漢方製剤に使用されるが、原料は何であろうか？ 日本で使用される漢方製剤はほとんどが植物由来であるのに対して、**阿膠**(あきょう)は動物由来であり、本来はロバの皮から作られたにかわを使用する。中国における**阿膠**(あきょう)の使用量は非常に多く、一方で中国の工業化により原料となるロバの数が減っていることから、生薬価格が高騰している。また、中国国内での原料不足を補うために、アフリカからのロバの輸出が急増しており、ニジェール政府はロバが激減してしまうため禁輸措置を取ったほどである。中国の爆買いは、日本でだけではないようである。

■ 引用・参考文献

1） Cooke I, Lethaby A, Farquhar C. Antifibrinolytics for heavy menstrual bleeding. Cochrane Database Syst Rev. 2000；(2)：CD000249.

2） 岩淵慎助．芎帰膠艾湯による機能性子宮出血の止血効果　西洋薬止血剤との比較．日本東洋医学雑誌．2000；50：883.

4 子宮筋腫

主な症状

腹部膨満感　過多月経　月経痛

患者さんからの訴え

・下腹部にはった感じがある。
・すぐに尿をしたくなる。
・ふらつきなどの貧血症状がある。
・月経時に痛みがある。

問診

・日常生活への障害（外出困難など）の程度は？
・下腹部に腫瘤を触れるか？
漢 **・気力の低下はないか？**

アプローチ

子宮筋腫は女性の25～50%に認められるありふれた疾患であり、過多月経や月経困難症を引き起こして女性のQOLを障害する（chapter 2-②「月経困難症」参照 GO 83ページ、chapter 2-③「過多月経」参照 GO 92ページ）。これらの症状に対する薬物療法が無効の場合には、最終的には手術が選択される。

手術前の子宮筋腫サイズの縮小や、閉経直前での閉経までの逃げ込み療法の目的で、GnRHアゴニストやGnRHアンタゴニストによる排卵抑制が行われる。GnRHアンタゴニストは経口剤（レルミナ®錠）として使用でき、従来までの注射製剤や点鼻製剤であったアゴニストよりも投与が簡便となった。

漢方治療ひとさじ
漢方治療ふたさじ

漢方治療ひとさじ

漢方医学では、子宮筋腫の原因は**瘀血**であると考える。子宮筋腫そのものに対する治療として、**駆瘀血剤**を使用する。筋腫核そのものの縮小を認めるのは難しいが、月経前の子宮全体の腫大を改善することにより、患者の腫瘤感に対する改善効果を認める。腹部の膨満感へ**桂枝茯苓丸**、**桂枝茯苓丸加薏苡仁**を用いる。

1 桂枝茯苓丸

「下腹部に抵抗のあるものに用いる」とされており、下腹部膨満感といった身体症状が強い場合に用いる。代表的な**駆瘀血剤**とされる。

2 桂枝茯苓丸加薏苡仁

桂枝茯苓丸に**薏苡仁**を追加したものである。**薏苡仁**は疣贅（イボ）に対する効果が知られている。ツムラのエキス剤では、1包当たりに含まれる**桂枝茯苓丸**そのものの成分も多く（1.3倍）、少しでも作用を強化したい場合には望ましいかもしれない。**薏苡仁**には抗炎症作用や子宮筋の緊張緩和作用があり、月経痛にもよいとされる。

緑茶由来天然物EGCGと筋腫治療薬

ありふれた疾患の割には、子宮筋腫に対する治療薬の開発は遅れている。漢方治療では、子宮筋腫症状の改善にはつながるが、なかなか筋腫核そのもののサイズ縮小までの効果は期待しにくい。他の天然物由来物質での研究を紹介したい。

緑茶に含まれるカテキン類の約半量を占めるのがエピガロカテキンガレート（EGCG）であり、他のカテキンと比較し、多彩かつ強力な生理活性を示し、緑茶以外には見出されないことより、緑茶の機能性を特徴づける成分とされている。抗がん作用が注目されており、AKTの活性化に対する直接的な抑制効果が報告されている。これまで子宮筋腫に対しては、in vitroでの増殖抑制とin vivoでの筋腫発生抑制効果が報告されていたが、子宮筋腫患者に対する投与試験も最近報告された。39例の子宮筋腫患者を対象とした二重盲検プラセボ対照のランダム化比較試験で、実薬群22例・プラセボ群17例のパイロットスタディであるが、投与4週間で筋腫サイズの有意な縮小と有意なQOL改善を認めている（**表4-1**）[1]。

表4-1　緑茶由来カテキン（EGCG）の子宮筋腫に対する治療効果

		プラセボ群	実薬群
子宮筋腫サイズ変化	mean	24.25%	−32.61%
	SD	38.09	24.10
QOL変化（症状重症度スコア）	mean	7.10%	−25.28%
	SD	15.50	17.38

（文献1より作成）

加味帰脾湯

・黄耆・人参・竜眼肉・酸棗仁
・当帰・茯苓・蒼朮・遠志
・木香・柴胡・山梔子・甘草
・生姜・大棗

元気＋安定剤

漢方治療ふたさじ

GnRHアゴニストやアンタゴニストの副作用対策としての漢方治療は、基本的には更年期障害に対する漢方治療と同様であるが、症状が強い場合が多くホットフラッシュが必発である。GnRHアンタゴニストのほ方がアゴニストよりも卵巣機能抑制の効果発現は早いが、副作用としては同程度と思われる。副作用のホットフラッシュに対して、**加味逍遙散**（かみしょうようさん）、**加味帰脾湯**（かみきひとう）を用いる。

1 加味逍遙散

構成生薬の山梔子にはほてりを鎮める作用がある。「女性の3大処方」の一つであり、**瘀血**をターゲットとした処方となる。

2 加味帰脾湯

加味逍遙散と共通の生薬として山梔子が含まれており、ホットフラッシュに対する効果も期待できる[2)]。精神不安、不眠症状に対するファーストチョイスである。構成生薬としては柴胡や酸棗仁といった精神安定作用のある成分に加えて、人参や黄耆といった元気にする成分が含まれており、体のだるさにも対応できる。**加味逍遙散**を使用する場合より、より体が弱った場合に使用するとよい。元気＋安定剤が**加味帰脾湯**である。

加味帰脾湯は幸せの漢方

最近の急性期ストレスモデルラットを用いた検討からは、**加味帰脾湯**投与により髄液中のオキシトシン濃度が上昇し、オキシトシンを介して抗ストレス作用を示すことが報告された[3)]。オキシトシンは乳汁分泌促進作用や子宮収縮作用を持つホルモンであることは産婦人科医であれば、誰でも知っていることと思う。オキシトシンは末梢での作用だけでなく、中枢においても作用し、広く脳内に分布していることが知られており、セロトニン作動性ニューロンを介して抗不安作用や抗ストレス作用を示す。「幸せホルモン」や「絆ホルモン」としても知られ、withコロナ時代の孤立・孤独が社会問題となっている高ストレス社会においては、**加味帰脾湯**はこれからの汎用処方となることが期待される。

■ 引用・参考文献

1） Roshdy E, Rajaratnam V. et al. Treatment of symptomatic uterine fibroids with green tea extract: a pilot randomized controlled clinical study. Int J Womens Health. 2013；5：477-86.

2） 久松武志，澤田健二郎ほか． 子宮内膜症あるいは子宮筋腫のGnRHアゴニスト製剤による治療時における加味帰脾湯の更年期症状に対する効果． 産婦人科治療. 2011；103（5）：507-12.

3） Tsukada M, Ikemoto H, et al. Kamikihito, a traditional Japanese Kampo medicine, increases the secretion of oxytocin in rats with acute stress. J Ethnopharmacol. 2021 ; 276 : 114218.

5 子宮内膜症

主な症状

月経痛　排便痛　下腹痛

患者さんからの訴え

・月経のときに腹痛がある。
・排便時、肛門付近に痛みがある。
・月経時以外にも下腹痛を感じる。

問診

・**月経痛以外にも痛みがあるか？**
漢・**むくみやすさの程度は？**

アプローチ

子宮内膜症の症状では、月経困難症が一番の問題となる。治療のファーストチョイスは薬物療法であり、鎮痛薬（NSAIDsなど）を使用する。ホルモン製剤としては、低用量エストロゲン・プロゲスチン配合薬（LEP）とジエノゲストが使用される。

新しく使用できるようになった連続投与製剤は、従来型の周期投与製剤に比較して休薬期間が短くなるため、子宮内膜症に伴う月経困難症に対して、より改善効果が高くなるとされている。

子宮内膜症の程度が重度になると、月経痛以外にも下腹痛が出現し、排便時痛が出現する場合もある。ジエノゲストはこれらの月経痛以外の痛みに対しても効果を認める。

漢方治療
ひとさじ

漢方治療
ふたさじ

漢方治療ひとさじ

漢方治療医学では、月経困難症の原因を**瘀血**（おけつ）と考え、治療には**駆瘀血剤**を使用する。子宮内膜症薬物治療としての漢方治療のターゲットは、「子宮内膜症による月経痛対策」と「子宮内膜症治療薬に伴う副作用対策」の2つがメインであり、子宮内膜症病変そのものへの治療効果は通常の漢方治療で期待するのは難しい。LEPの副作用対策として**当帰芍薬散**（とうきしゃくやくさん）、**桂枝茯苓丸加薏苡仁**（けいしぶくりょうがんかよくいにん）を用いる。

1 当帰芍薬散（とうきしゃくやくさん）

従来からの一相性低用量ピルと同一であるエチニルエストラジオール＋ノルエチステロン（ルナベル®配合錠）を使用した場合には、黄体ホルモンの副

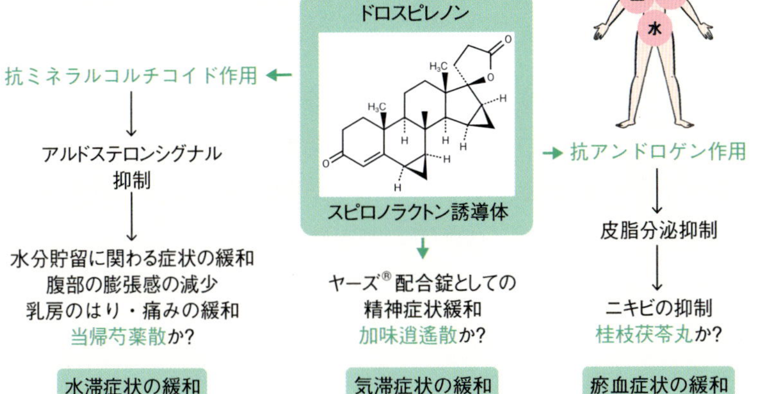

図5-1　ドロスピレノンの多彩な作用

作用である浮腫症状を認める。漢方治療的には、**水滞**症状として、はきけ、むくみ、頭痛のすべてが説明可能である。これに対しては、**利水**作用のある**当帰芍薬散**を併用するとよい。

一方、新規黄体ホルモン（ドロスピレノン）を含有するヤーズ®配合錠の場合には、ドロスピレノンが利尿薬であるスピロノラクトンから誘導された薬物であることから、弱い利尿作用を有する。漢方治療的にみれば、**利水**作用のあるLEP（ルナベル®配合錠＋**当帰芍薬散**）と考えられる（**図5-1**）。ヤーズ®配合錠を投与しても**水滞**症状の残存が見られる場合にも、**当帰芍薬散**の併用により改善が認められる。

2 桂枝茯苓丸加薏苡仁

ルナベル®配合錠に含まれる黄体ホルモンであるノルエチステロンには男性ホルモン作用があり、ニキビの原因となる場合がある。ニキビの原因は**瘀血**とされ、**桂枝茯苓丸**は**瘀血**に対する代表的処方である。これに**薏苡仁**を加えることにより、さらに皮膚に対する改善効果が期待できる。

一方、ヤーズ®配合錠には抗アンドロゲン作用があり、ニキビに対する治療効果が認められている[1)]（**図5-1**）。最近使用できるようになった連続投与のヤーズフレックス®配合錠についても同様である。もう一つの連続投与製剤であるジェミーナ®配合錠には、含有される黄体ホルモンであるレボノルゲストレルにノルエチステロンと同様に男性ホルモン作用があり、もともとニキビのひどい場合には投与に注意が必要である。

漢方治療ふたさじ

ジエノゲストの投与開始初期には、医師・患者ともに痛みに対する治療効果と不正出血に注意が向くため見逃されがちであるが、これらの症状が落ち着いた長期投与（1年以上の投与）例においては、抑うつ症状が問題となる場合がある。作用機序的には、排卵を抑制するという意味では、GnRHアゴニストにおける低エストロゲン状態からのうつ症状と同じであるが、ジエノゲストの場合はある程度の血中エストロゲンレベルは維持されていることから、低エストロゲン状態によるうつ症状というよりは、黄体ホルモンによる抑うつ作用だと思われる。ジエノゲストの黄体ホルモン作用による抑うつ症状に対し**帰脾湯**を用い、不正出血に対して**芎帰膠艾湯**を用いる。ジエノゲストでは、ある程度のエストロゲンレベルが維持されていることから、GnRHアゴニストと異なりホットフラッシュは通常認めない。

1 帰脾湯

加味帰脾湯から柴胡と山梔子を省いたものである。山梔子はほてりに対する生薬であるが、ホットフラッシュを認めないため、山梔子を含まない**帰脾湯**で十分だと思われる。酸棗仁といった精神安定作用のある成分に加えて、人参、黄耆といった元気にする成分が含まれており、体のだるさにも対応できる**補剤**の仲間でもある。

2 芎帰膠艾湯

不正出血に対して使用する。止血作用のある阿膠を構成生薬に含む。他に、当帰、地黄といった「**血**」に働く生薬に加え、痛みをとる芍薬、甘草も含まれており、月経困難症に対する効果も併せて期待できる。

■注意点

痔出血に対する適応しかないのには注意が必要である。

漢方薬のようなピル「ヤーズ®配合錠」

日本で発売されているピルは、世界的に見れば非常に種類が限定されているが、それでも投与法での一相性・三相性の違いや、含まれる黄体ホルモンが3種類あるなどの特徴がある。エチニルエストラジオール・ドロスピレノンから成るヤーズ®配合錠は、黄体ホルモンのドロスピレノンが、他の製剤にはないユニークな作用を果たす。

ドロスピレノンは利尿薬であるスピロノラクトンからの誘導体で、弱い利尿作用を持つ。これは、漢方の**当帰芍薬散**様作用と言える。男性ホルモンのアンドロゲンを抑制する作用があり、これによりニキビを抑制することから、**桂枝茯苓丸**様作用と言える。また、エチニルエストラジオールと組み合わせてヤーズ®配合錠となることで精神安定作用を示し、**加味逍遙散**様作用と言える。このように、ヤーズ®配合錠は漢方の「**気血水**」全般への多様な作用を持つ（**図5-1**）。ジェネリックのドロエチ配合錠が令和4年6月から発売された。

■ 引用・参考文献

1） Palli MB, Reyes-Habito CM, et al. A single-center, randomized double-blind, parallel-group study to examine the safety and efficacy of 3mg drospirenone/0.02mg ethinyl estradiol compared with placebo in the treatment of moderate truncal acne vulgaris. J Drugs Dermatol. 2013；12（6）：633-7.

6 更年期障害　その1

主な症状

のぼせ　ほてり　汗

患者さんからの訴え

- 首から上が燃えるように熱くなる。
- 急に汗が出て、頭から汗が流れ落ちる。
- 寝汗が出て、冷えて目が覚める。
- 突然、心臓がドキドキする。

問診

- **月経周期が規則的か？**
- **周期が短縮（25日未満）あるいは延長（39日以上）していないか？**
- 漢 **イライラ、不眠はないか？**
- 漢 **体はだるくないか？　食欲はあるか？**
- 漢 **便通の状態はどうか？**

アプローチ

更年期障害とは、卵巣機能低下に伴うエストロゲン分泌欠乏により引き起こされるさまざまな症状のことをいう。日本産科婦人科学会による更年期症状評価表に代表的な症状が示されている**（表6-1）**[1]。卵巣機能低下に伴い、月経周期は最初に短縮することが多く（25日未満）、さらに卵巣機能が低下することにより、周期は延長し（39日以上）、最終的に閉経することが多い。

最も典型的な症状は、自律神経失調症状であり、ホットフラッシュと呼ばれる。自然経過を見ても、通常は2～5年程度持続し、閉経後10年以上経過すれば有症状者の割合は4%にまで改善する。婦人科手術での卵巣摘除や乳がん術後のGnRHアゴニスト療法による卵巣機能欠落症状でも同様の症状が出現し、通常の閉経時のホットフラッシュよりも症状が重度の場合が多い。

診断は、上記の臨床症状に基づき、器質的疾患（特に、うつ病、がん、甲状腺疾患）の除外が必須である。血液検査では、一般内科的なスクリーニング検査に併せて、甲状腺機能検査を実施する。血液検

更年期障害とは？

1. **月経異常**
   変な出血、周期が短縮・延長、不規則
2. **自律神経失調症状**
   のぼせ、ドキドキ
3. **精神神経症状**
   不眠、イライラ、頭が重い、うつっぽい、物忘れ

表6-1　日本人女性の更年期症状評価表
（日本産科婦人科学会生殖・内分泌委員会）

症　状	症状の程度		
	強	弱	無
1. 顔や上半身がほてる（熱くなる）			
2. 汗をかきやすい			
3. 夜なかなか寝付けない			
4. 夜眠っても目を覚ましやすい			
5. 興奮しやすく、イライラすることが多い			
6. いつも不安感がある			
7. ささいなことが気になる			
8. くよくよし、ゆううつなことが多い			
9. 無気力で、疲れやすい			
10. 眼が疲れる			
11. ものごとが覚えにくかったり、もの忘れが多い			
12. めまいがある			
13. 胸がドキドキする			
14. 胸がしめつけられる			
15. 頭が重かったり、頭痛がよくする			
16. 肩や首がこる			
17. 背中や腰が痛む			
18. 手足の節々（関節）の痛みがある			
19. 腰や手足が冷える			
20. 手足（指）がしびれる			
21. 最近、音に敏感である			

（文献1より転載）

査によるエストラジオールや卵胞刺激ホルモン（FSH）測定は卵巣機能の目安にはなるが（FSH＞40IU/Lなら閉経の可能性大）、変動が大きく治療開始の絶対的な基準とはならない。

ホットフラッシュに対する世界標準の治療法として、ホルモン補充療法（hormone replacement therapy；HRT）がある。子宮摘出後の場

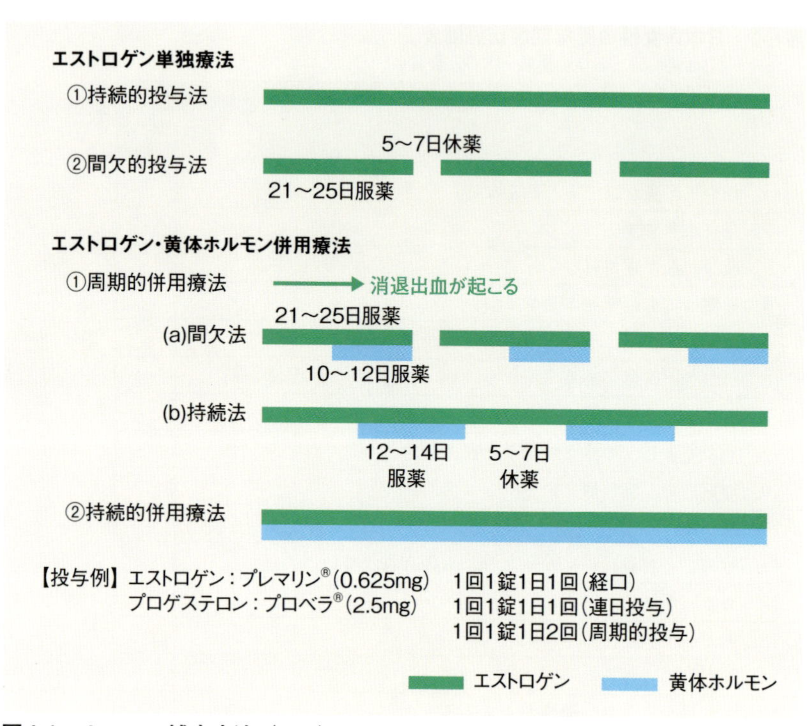

図6-1　ホルモン補充療法（HRT）におけるホルモン投与法

合にはエストロゲン製剤単独投与、子宮がある場合には黄体ホルモン製剤を併用するか、両者の合剤を投与する**(図6-1)**。エストロゲン製剤には経口製剤だけでなく経皮製剤があり、凝固系への影響が少ないというメリットがあるが、各製剤種別間での治療効果の差異はないとされる**(表6-2)**。HRT投与開始後約8週間で症状の改善を認めることが多い。HRTは血栓症の既往やエストロゲン依存性悪性腫瘍既往（乳がんなど）では投与禁忌となる。また、5年以上の投与でごくわずかであるが乳がん発症リスクが上昇することから（英語の表現では'rare'）[2、3]、日本産科婦人科学会の見解をはじめ、世界的に投与は5年を原則とする考え方が一般的である。乳がん発症リス

表6-2　ホルモン製剤のいろいろ

エストロゲン製剤（E）	
1. 結合型エストロゲン	経口錠（プレマリン®）
2. エストラジオール	経口錠（ジュリナ®）・貼付剤・ゲル剤（ディビゲル®）
プロゲステロン製剤（P）	
1. 酢酸メドロキシプロゲステロン	経口錠（プロベラ®）
2. ジドロゲステロン	経口錠（デュファストン®）
3. 天然型黄体ホルモン製剤	経口カプセル（エフメノ®）

ク軽減の点から、黄体ホルモン製剤としてジドロゲステロンや天然型黄体ホルモン製剤を勧める意見がある。天然型黄体ホルモン製剤に関しては、食後投与の場合では血中濃度が上がりすぎるため、空腹時投与が必要である。さらに、副作用として眠気やめまい症状を認めることがあるため、添付文書では就寝前投与となっている。

漢方治療ひとさじ

ホットフラッシュに対しては、HRTは間違いなく第一選択で、ホットフラッシュの改善効果では漢方治療はHRTには及ばないのが現状である。ホットフラッシュがメインで、他の症状が少ない場合には、漢方的には**実証**（じっしょう）の場合が多いと思われる。また、HRTの投与禁忌例は漢方治療のよい適応である。ほてりをターゲットとした**黄連解毒湯**（おうれんげどくとう）、**三黄瀉心湯**（さんおうしゃしんとう）、**温清飲**（うんせいいん）、イライラなどの精神症状を合併するようなら**加味逍遙散**（かみしょうようさん）、**桃核承気湯**（とうかくじょうきとう）を選択する。

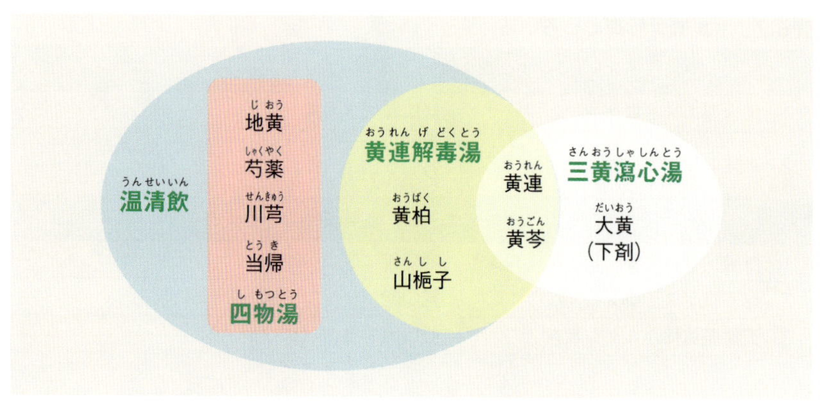

図6-2　ホットフラッシュをターゲットとした方剤の構成生薬

1 黄連解毒湯（図6-2）

ほてり、のぼせが主症状の場合の第一選択となる。黄連、黄芩、黄柏、山梔子から構成される。これらにはすべて熱を冷ます作用があるとされ、黄芩、山梔子には精神鎮静作用もあると言われている。「良薬口に苦し」のことわざは、漢方薬が一般的に苦いと認識されていることのあらわれであるが、**黄連解毒湯**は漢方処方の中でも苦いことで有名な処方である。

2 三黄瀉心湯（図6-2）

黄連解毒湯の類似処方である。黄連、黄芩、大黄から成り、黄連、黄芩が共通に含まれており、やはり熱を冷ます処方であることがわかる。

■注意点

大黄も熱を冷ますが、下剤作用が強く、患者が便秘がちでないと下痢になってしまう。**黄連解毒湯**よりは、より実証タイプの症例に用いる必要がある。

3 温清飲（図6-2）

黄連解毒湯に四物湯を合体した内容となる。四物湯は**血虚**に対する基本処方であり、「**血**」を補う**補血剤**として作用する。冷ます作用のある黄連解毒湯と温める作用のある四物湯をまとめた、一見矛盾した内容の方剤である。熱いところを冷まし、冷えたところを温めるといった、非常に虫のいい処方と言える。

実際の更年期障害患者においては、首から上ののぼせと、手足の冷えがしばしば認められる。このような症例に対して用いるとよい。さらに、もとの黄連解毒湯と四物湯の組み合わせにより、のぼせや冷えの程度に合わせて両者の比率を変え、柔軟に対応することが可能となる。すなわち、冷えが強ければ1日の投与回数を黄連解毒湯1回、四物湯2回にしたり、のぼせが強ければ黄連解毒湯2回、四物湯1回にしたりして対応する。

■注意点

地黄は胃もたれする場合があり、もともと胃が弱い人へ投与する場合には注意する。食前や食間投与で胃もたれするようであれば、食後投与へ切り替える。はじめから食後投与にしてもよい。

4 加味逍遙散

山梔子には、ほてりを鎮める作用がある。「女性の３大処方」（chapter 2-②、**図2-1**を参照GO 86ページ）の一つであり、**瘀血**をターゲットとした処方となる。名前のごとく症状が「逍遙」するものに使用する。すなわち、不定愁訴に対する代表処方と言える。血管運動神経症状と精神神経症状とが入り交じった症状に対して用いる。構成生薬としては、柴胡、薄荷といった「**気**」に働く生薬が含まれている。右季肋部につかえ感・圧痛を認める場合があり、これは柴胡(さいこ)の入った漢方薬を使用する際の代表的症状である。

■注意点

エキス剤では、作用は弱いものの弱い下剤作用があり、普段から下痢をしやすい人への投薬には注意が必要である。

5 桃核承気湯(とうかくじょうきとう)

瘀血をターゲットとした処方となる（chapter 1-②、**図2-7**を参照 GO 19ページ）。**実証**(じっしょう)タイプのものに使用する。症状的には精神神経症状の強い場合に使用する。便秘が強いことが使用目標となる。

■注意点

大黄(だいおう)、桃仁(とうにん)、芒硝(ぼうしょう)といった下剤作用の強い生薬が含まれている。

漢方治療ふたさじ

HRTがすべての症例に有効であるわけではない。**腎虚**(じんきょ)症状に対する**八味地黄丸**(はちみじおうがん)、**六味丸**(ろくみがん)、**気虚**(ききょ)症状に対する**補中益気湯**(ほちゅうえっきとう)の併用を試みる。体のエネルギーが不足した状態でもほてりは生じる。漢方治療ならではの**補剤**を使用した、補う治療法である。

1 八味地黄丸(はちみじおうがん)

乾いたほてりと冷えに使用する。男性不妊に用いられるために、男性に使用する漢方薬というイメージが強いが、本来は性差に関係なく使用される。下肢脱力感、疲労感、足腰の冷え、腰痛、夜間の頻尿などを目標に使用する。漢方治療概念において生殖能力・老化を調節する臓器である「**腎**(じん)」を補

八味地黄丸（はちみじおうがん）と六味丸（ろくみがん）

八味地黄丸（はちみじおうがん）　＝　六味丸（ろくみがん）　＋　桂皮（けいひ）・附子（ぶし）

桂皮：「『気』に働く」　附子：「温める」

六味丸（ろくみがん）	**地黄（じおう）**	（「血」を補う）
	山茱萸（さんしゅゆ）	（「血」を補う）
	山薬（さんやく）	（「気」を補う）
	牡丹皮（ぼたんぴ）	（「血」をめぐらす）
	茯苓（ぶくりょう）	（余分な「水」をひく）
	沢瀉（たくしゃ）	（余分な「水」をひく）

※名前の通り六種類

う処方である（chapter 1-①、**図 1-6** を参照 GO 11ページ）。

■注意点

地黄（じおう）による胃もたれに注意する。

2 六味丸（ろくみがん）

乾いたほてりに使用する。もともと小児に対して使用されていた処方で、上記の**八味地黄丸（はちみじおうがん）**から派生した処方である。

■注意点

地黄（じおう）による胃もたれに注意する。

3 補中益気湯（ほちゅうえっきとう）

漢方治療概念における生命エネルギーの源である「**気**」を補う処方であ

る。虚弱体質で疲れやすく、消化機能が衰えている状態で使用するとよい。**補中益気湯**の「**中**」の意味は胃や腸を表すので、まさに字のごとく胃腸を補い、「**気**」を益す薬剤と考えればよい。構成生薬の黄耆と人参の組み合わせは元気にする漢方でしばしば見られる。飲みやすい味で、患者にも好評な漢方の一つであり、使用しやすい。

漢方治療みさじ

汗に対するコントロールが難しい場合がある。**補中益気湯**と**防已黄耆湯**の併用を試みる。

1 補中益気湯

構成生薬の黄耆は体を元気にするだけでなく、汗を鎮める作用がある。

2 防已黄耆湯

水太りでぷよぷよした感じの人に用いる。**補中益気湯**よりも水分バランスの調整作用が強い。黄耆の含有量は、**補中益気湯**の4gに対して、**防已黄耆湯**は5gと多い。

漢方治療よさじ

天然型黄体ホルモン製剤のめまい症状に**当帰芍薬散**の併用を試みる。

1 当帰芍薬散

めまい症状は**水滞**（むくみ）症状であり、水分調整作用の強い**当帰芍薬散**を使用する。

山梔子と腸間膜静脈硬化症

山梔子はほてりに対する改善効果があり、**加味逍遙散**、**黄連解毒湯**、**加味帰脾湯**といった、女性診療での汎用処方に含まれる生薬であるが、腸間膜静脈硬化症との関連性が報告されている[4)]。腸間膜静脈硬化症とは、大腸壁内から腸間膜の静脈に石灰化が生じ、静脈還流の障害によって、腸管の慢性虚血性変化を来す稀な疾患とされている。はっきりした原因はわかっていないが、漢方薬（山梔子を含むもの）の長期服用者（5年以上）に多く認めることから、山梔子との関連性が考えられている。症状としては、主に腹痛（右側）、下痢、悪心・嘔吐が認められ、重症の場合にはイレウスとなる場合もある。発症を疑う場合には、投薬を中止し、必要に応じて消化器病専門医への紹介を考慮する必要がある。更年期障害から引き続いて10年以上にわたり、これらの薬剤が漫然と投与される場合がある。本来は長期間投与する薬剤でもないわけであり、症状が改善していれば減薬や薬剤変更を考慮していくべきである。**加味帰脾湯**であれば、ほてり症状がなくなれば、山梔子の含有されていない**帰脾湯**への処方変更が望ましい。

Column

更年期障害に対する加味逍遙散の有効性（更年期うつモデルマウスを用いた検討）

卵巣を手術により摘除して作成した更年期モデルマウスに、連日2時間の浸水ストレス（水浸しにされる）を3週間かけうつモデルとし、これに**加味逍遙散**を経口投与して、うつ症状に対する効果を検討した（**図6-3**）[5]。慢性ストレスにより、血中のコルチゾール濃度は上昇するが、**加味逍遙散**投与群では上昇を認めなかった。さらに、6分間のforced swim testを加えると、不動化が認められるが、**加味逍遙散**投与群は不動化を解除した。また、海馬における分子レベルでのうつシグナル伝達を検討したところ、セロトニン1A受容体のタンパクレベルのストレスによる減少を**加味逍遙散**が解除し、pCREB・BDNFといったうつのシグナル伝達に関連するタンパクに関しても同様の効果を認めた。それにしても、水浸しにされたあとに、無理やり泳がされるマウスも気の毒である。

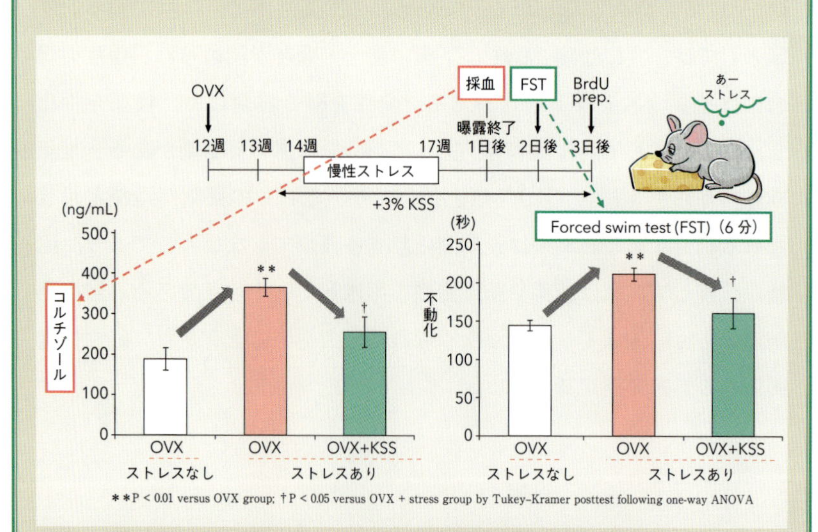

図6-3 更年期うつモデルマウスに対する加味逍遙散の効果（文献5より改変）
OVX：卵巣除去、KSS：加味逍遙散投与

更年期障害に対する加味逍遙散の有効性（プラセボ対照二重盲検比較）

加味逍遙散は構成生薬からみても「**気血水**」全般にまんべんなく作用し、更年期障害に使用する漢方薬として最も標準的な処方と考えられる。西洋薬の効果検討と同様のプラセボ対照二重盲検比較を実施した[6]。日本産科婦人科学会の更年期症状評価表に基づいたスケールにより評価を行い、「興奮性、イライラ」を主要評価項目とした。被験者にはブラインドとして、プラセボ投与を試験薬投与前に実施し、プラセボノンレスポンダーのみを後から層別化して評価する、プラセボリードインというちょっと変わったプロトコールを作成し、プラセボ効果を少しでも排除できるような工夫を凝らした研究であった。残念ながら、主要評価項目や副次評価項目ではプラセボと**加味逍遙散**間での改善効果には有意差が認められなかった（プラセボが効きすぎる！）。そこで、「興奮性、イライラ」の改善度を3群（改善、やや改善、不変）に分けて、ポストホック解析を行った（**図6-4**）。その結果、**加味逍遙散**投与においてプラセボ投与と比較して、改善群の割合が有意に高い結果となった（$p<0.05$, Fisher's exact test）。あくまでも追加解析での結果であり、エビデンスレベルは低いものとなるが、ある程度の効果を裏付けるものとしての意義は大きいと思われる。もっとも、更年期診療においては、患者の愁訴を傾聴することも立派な治療の一部であり、話を聞かずに投薬だけをすることはあり得ず、心理療法への薬物治療の上乗せ効果を検討することになる。なかなかプラセボとの有意差を出すのは難しいのであろう。これとは別に、サプリメント（ローヤルゼリー）を使用して、更年期症状に対するプラセボ対照二重盲検比較を実施したが、こちらは「不安感」「背部痛」において、思いがけずプラセボと比較して有意な改善効果を認めた[7]。サプリメントということで、外来での対面での試験ではなく、非

対面での調査票を用いての効果判定で心理療法的な効果は関与していなかったと考えられる。おそらくそのため、外来ベースでの試験よりは有意差が出やすかったのであろう。

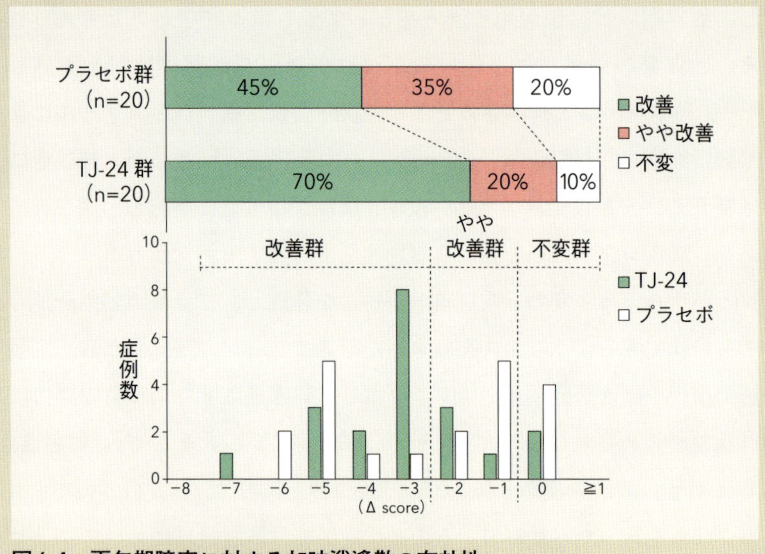

図6-4　更年期障害に対する加味逍遙散の有効性
(プラセボ対照二重盲検比較のポストホック解析)
TJ-24：加味逍遙散

■引用・参考文献

1）日本産科婦人科学会生殖・内分泌委員会．日本人女性の更年期症状評価表．日本産科婦人科学会雑誌．2001；53（5）：883-8.

2) Rossouw JE, Anderson GL, et al. Writing Group for the Women's Health Initiative Investigators. Risks and benefits of estrogen plus progestin in healthy postmenopausal women: principal results From the Women's Health Initiative randomized controlled trial. JAMA. 2002；288（3）：321-33.

3) de Villiers TJ, Hall JE, et al. Revised global consensus statement on menopausal hormone therapy. Maturitas. 2016；91：153-5.

4) Shimizu S, Kobayashi T, et al. Involvement of herbal medicine as a cause of mesenteric phlebosclerosis: results from a large-scale nationwide survey. J Gastroenterol. 2017 Mar;52(3):308-14.

5) Shimizu S, Ishino Y, et al. Antidepressive Effects of Kamishoyosan through 5-HT1AReceptor and PKA-CREB-BDNF Signaling in the Hippocampus in Postmenopausal Depression-Model Mice. Evid Based Complement Alternat Med. 2019; 9475384.

6) Takamatsu K, Ogawa M, et al. Effects of Kamishoyosan, a Traditional Japanese Medicine, on Menopausal Symptoms: A Randomized, Placebo-Controlled, Double-Blind Clinical Trial. Evid Based Complement Alternat Med. 2020 ; 9285317.

7) Asama T, Matsuzaki H, et al. Royal Jelly Supplementation Improves Menopausal Symptoms Such as Backache, Low Back Pain, and Anxiety in Postmenopausal Japanese Women. Evid Based Complement Alternat Med. 2018 ; 4868412.

7 更年期障害　その2（不定愁訴を中心に）

主な症状

イライラ　肩こり　倦怠感　不安感　不眠

患者さんからの訴え

・イライラして怒ってしまう。
・やる気が出ない。
・肩がこる。
・めまいが起こる。
・頭痛がする。

問診

・希死念慮はないか？
・うつ病やパニック障害などの精神疾患の既往はないか？
漢・便通の状態はどうか？
漢・ストレスはないか？

アプローチ

更年期障害とは、卵巣機能低下に伴うエストロゲン分泌欠乏により引き起こされるさまざまな症状である。自律神経失調症状であるホットフラッシュが典型症状であり、世界標準の治療法として、ホルモン補充療法（HRT）が行われる。症状には人種差が存在することが知られており[1]、欧米人では自律神経失調症状が多いのに対して、日本人では、いわゆる不定愁訴と分類されるような、精神神経症状が多いのが特徴である。更年期症状としてのこれらの精神神経症状に対してもHRTは有効である[2]。

うつ病の発症は、ホルモン変動と関連が深く、閉経に関連したうつ病との鑑別が必要である。更年期発症のうつ病に対するHRTの有効性には一定のコンセンサスは得られていない[3]。選択的セロトニン再取り込み阻害薬（SSRI）やセロトニン・ノルアドレナリン再取り込み阻害薬（serotonin noradrenaline reuptake inhibitors；SNRI）が標準治療として推奨される。希死念慮が存在する場合には、精神科専門医へ紹介する。

漢方治療ひとさじ

HRTだけでは症状が改善しない場合も多い。漢方薬では一剤でいろいろな症状の改善が期待でき、さまざまな症状を示す不定愁訴には対応しやすい。漢方治療医学では、更年期障害の原因を**瘀血**として考え、治療には**駆瘀血剤**を使用する。「女性の3大処方」である**当帰芍薬散**、**加味逍遙散**、**桂枝茯苓丸**と**桃核承気湯**の併用を試みる（chapter 1-②、**図2-7**を参照 GO 19ページ）。

1 加味逍遙散

「逍遙」は訴えが移ろうことを意味し、不定愁訴に対する代表処方と言える。構成生薬としては、柴胡、薄荷、山梔子といった「**気**」に働く生薬が多く含まれている。その他、「**気**」「**血**」に働く生薬がまんべんなく含まれており、更年期障害全般に対するファーストチョイスと言える。

■注意点

弱い下剤作用があり、下痢傾向の患者には注意が必要である。

2 当帰芍薬散

頭痛、めまい、肩こり、体に水がたまりやすい（浮腫傾向）場合に用いることを特徴とする。漢方医学では、水がたまりやすい（**水毒**）のが原因で頭痛やめまい、肩こりが起こると考えられており、これらは一連の症状と考える。構成生薬には、蒼朮、沢瀉、茯苓といった**利水**作用を持つ生薬が多く含まれている。

3 桂枝茯苓丸

当帰芍薬散よりは、より**実証**タイプのものに使用する。漢方治療医学的には**駆瘀血剤**の代表とされる。**瘀血**症状が強く、症状としては冷えのぼせが特徴である。精神神経症状は比較的軽度のものに用いる。

4 桃核承気湯

桂枝茯苓丸より、より**実証**タイプのものに使用する。症状的には**桂枝茯苓丸**に似るが、精神神経症状はより強い。便秘が強いことが使用目標となる。

■注意点

構成生薬として、大黄、桃仁、芒硝といった下剤作用のある生薬が多く含まれている。普段から便秘傾向にない患者への投与は難しく、最初は1～2包／日に減量して投薬した方が無難な場合が多い。

漢方治療ふたさじ

理屈では、**瘀血**の改善により単剤投与でさまざまな症状を改善できるが、現実的には特に目立つ症状に対してもう一剤を追加する方が症状改善につながる場合が多い。**駆瘀血剤**に加えて、特に問題となる特定の症状を狙った漢方治療を併用する。イライラには**抑肝散**、肩こりには**芍薬甘草湯**、頭重感には**釣藤散**、不安感には**柴胡桂枝乾姜湯**と**加味帰脾湯**、倦怠感には**八味地黄丸**と**補中益気湯**である。

1 抑肝散

もともとは、子どもの夜泣き・**疳の虫**に対する薬剤で、情動を表す「**肝**」を安定化させる（chapter 1-①、**図1-6**を参照 GO 11ページ）。夜泣き・**疳の虫**の背景には周囲の環境からのストレスが考えられ、大人でも更年期障害発症の背景としてストレスが強そうな場合に用いるとよい。イライラに対する改善作用に優れる。**加味逍遙散**と併用すると作用増強が期待できる（chapter 2-①、**図1-2**を参照 GO 77ページ）。

2 芍薬甘草湯

筋肉の攣縮からの痛み全般に使用できる。肩こりは、僧帽筋や周辺筋肉の

漢方の痛み止め：芍薬甘草湯

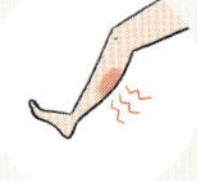

・**芍薬と甘草のみで構成**

「こむら返り」

筋肉の急激な攣縮を緩和する（即効性あり）

・**応用編**

月経痛…子宮筋攣縮からの痛み

肩こり…僧帽筋・周辺筋肉の緊張からの痛み

胃けいれん…胃平滑筋攣縮の痛み

尿路結石…尿管攣縮の痛み

緊張からの痛みで生じる。甘草の含有量が2g/包と多く、偽アルドステロン症の発症に注意が必要である（chapter 2-②のコラムを参照GO 89ページ）。症状に合わせて、頓用や1日1～2包程度の投与で運用するのが無難である。

3 釣藤散

高血圧からの頭痛に使用するとされるが、血圧が正常でも使用して構わない。肩がこって、頭が重苦しいような症状に使用できる。**抑肝散**にも含有されている釣藤鈎を含み、筋肉の緊張緩和とともに心の緊張緩和にも働く。

4 柴胡桂枝乾姜湯

細かなことを気にするタイプの人に使用する。漢方の安定剤である柴胡の含有量が多い（6g）のに加えて牡蛎を含み、精神安定作用に優れる。乾姜を含み、温める作用もあることから、下半身が冷える人に使用するとよいとされている。

5 加味帰脾湯（かみきひとう）

抑肝散（よくかんさん）と同様に安定作用のある薬剤であるが、不安作用に対する効果が強い。構成生薬としては、黄耆（おうぎ）、人参（にんじん）を含む元気にする作用のある薬剤（**補剤**）であり、疲労感へも対応できる（chapter 1-⑦、**図7-4**を参照 GO 57ページ）。**加味逍遙散**（かみしょうようさん）と同様にほてりに対する効果の山梔子（さんしし）を含み、ホットフラッシュにも対応できる。

6 八味地黄丸（はちみじおうがん）

下肢脱力感、疲労感、足腰の冷え、腰痛、夜間の頻尿などを目標に使用する。漢方治療概念における生殖能力・老化を調節する臓器である「**腎**（じん）」を補う処方である（chapter 1-①、**図1-6**を参照 GO 11ページ）。漢方のアンチエイジングと考えればわかりやすい。

■注意点

地黄（じおう）による胃もたれに注意する。

7 補中益気湯（ほちゅうえっきとう）

虚弱体質で疲れやすく、消化機能が衰えている状態で使用するとよい。**補中益気湯**（ほちゅうえっきとう）の「**中**」は胃や腸を表し、胃腸を補って「**気**」を益（ま）す薬剤と考えればよい。**八味地黄丸**（はちみじおうがん）と併用してもよい。

漢方治療みさじ

SSRIやSNRIは精神科専門医以外でも使用しやすい薬剤であるが、内服開始初期の副作用である嘔気・嘔吐によって約10%の患者が内服できない。嘔気・嘔吐に対して**六君子湯**(りっくんしとう)を併用する。

1 六君子湯(りっくんしとう)

胃炎全般に使用可能であるが、つわりに使用する半夏(はんげ)、茯苓(ぶくりょう)、生姜(しょうきょう)から構成される**小半夏加茯苓湯**(しょうはんげかぶくりょうとう)の成分が丸ごと含まれており、制吐作用にも優れる。動物実験の結果から、**六君子湯**(りっくんしとう)はセロトニン受容体である5-HT2C受容体を阻害することにより、SSRIにより低下したグレリン分泌を促進し、嘔気・嘔吐に対する効果を示すと考えられている[4)]。

■ 引用・参考文献

1) Gold EB, Sternfeld B, et al. Relation of demographic and lifestyle factors to symptoms in a multi-racial/ethnic population of women 40-55 years of age. Am J Epidemiol. 2000；152（5）：463-73.

2) Zweifel JE, O'Brien WH. A meta-analysis of the effect of hormone replacement therapy upon depressed mood. Psychoneuroendocrinology. 1997；22（3）：189-212.

3) Morrison MF, Kallan MJ, et al. Lack of efficacy of estradiol for depression in postmenopausal women: a randomized, controlled trial. Biol Psychiatry. 2004；55（4）：406-12.

4) Fujitsuka N, Asakawa A, et al. Selective serotonin reuptake inhibitors modify physiological gastrointestinal motor activities via 5-HT2c receptor and acyl ghrelin. Biol Psychiatry. 2009；65（9）：748-59.

8 小児・思春期

主な症状

初経遅発　虚弱　腹痛　めまい

患者さんからの訴え

・高校生になったが、初経が来ない。
・食が細くて朝が苦手。
・体重が増えない。

問診

・クラブ活動の有無
・運動部であれば、競技のための体重制限の有無
・理想の体型
漢 ・母親からは、実際の摂食量を聴取
漢 ・ストレスがないのか？

アプローチ

小児・思春期領域の婦人科は、小児科と産婦人科との境界領域であり、医療の谷間となることが多い。この時期には、初経という一大イベントがあり、月経に関する相談が多い。わが国における平均初経年齢は12歳前半で、遅くとも満17歳までにほとんどの女性が初経を経験する（98～100%）。15歳以降で初経が起こった場合は遅発初経と定義される。初経発来にはさまざまな要素が関連するが、特に体脂肪と密接に関連しており、体脂肪率が17%以上になることが必要とされている。

摂食量のチェック、特に運動部所属の場合に体重制限を実施していないかの聴取が重要である。

学校生活でのストレス状況のチェックも必要である。

初経開始後にも、月経関連のトラブルは多い。月経随伴症状の代表的なものは、月経困難症であり、初経後6～12カ月からみられる。ほとんどは器質的な異常のない機能性月経困難症であるが、月経以外の痛みを伴う場合、腰痛、排便痛を認める場合、3～6カ月の鎮痛剤や経口避妊薬（OC）が奏効しない場合には、器質的な異常（主に子宮内膜症）の精査が必要である[1]。

月経前症候群（PMS）に対する注意も必要である。月経困難症よりも初経からの発症は遅れ、われわれのデータによると中央値で学年：中学3年、年齢：15歳、初経から2年で初めてPMSを自覚する[2]。また、高校生のデータでは、PMS・月経前不快気分障害（PMDD）の重症度に関しては、成人よりも重度である[3]。選択的セロトニン再取り込み阻害薬（SSRI）に関しては、自殺リスク上昇が危惧され、未成年者へはかなりの慎重投与となる。思春期でのPMS・PMDDに対する標準治療はSSRIではなくて、OC・低用量エ

ストロゲン・プロゲスチン配合薬（LEP）となる。

漢方治療ひとさじ

虚弱状態に使用できる薬剤が存在するのが、漢方治療のメリットの一つである。

1 小建中湯

虚弱児に使用する汎用処方である。甘くて内服しやすい。**大建中湯**はあまりにも有名であるが、膠飴以外には両者に共通する生薬は含まれていない**（図8-1）**。「**中**」は胃腸のことを意味しており、「建中湯」とは、胃腸を建てなおす薬という意味である。**小建中湯**には、芍薬・甘草の組み合わせが含まれており、腸管の痛みをとる作用がある。煎じ薬での運用では、**大建中湯**と

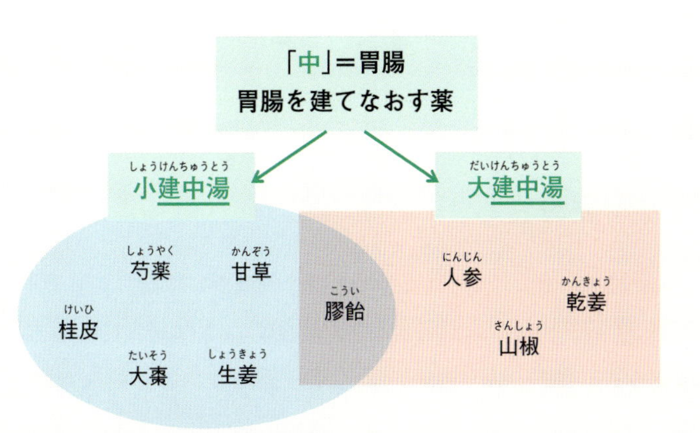

図8-1　大建中湯と小建中湯の構成生薬

小建中湯を合わせたものを、冗談のようだが中建中湯と呼び、おなかを温めつつ痛みをとる作用がある。

漢方治療ふたさじ

受験、人間関係、クラブ活動などでのストレスは大きい。

1 抑肝散（よくかんさん）

もともとは、子供の夜泣きの治療薬であり、夜泣きは子供が昼間のストレスを発散できずに夜間に泣き叫ぶわけで、子供のストレス治療薬である。小建中湯と併用してもよい。

2 小建中湯（しょうけんちゅうとう）

夜泣きに適応があることからも、抗ストレス作用があることがわかる。抑肝散よりも作用は弱く、小建中湯だけで作用が不十分な場合には併用してもよい。

漢方治療みさじ

月経周期が確立していれば、OC・LEPの投与は問題ないとされるが、保護者の了解を得られない場合も多い。そのような場合には漢方治療は便利である。詳細はchapter 2-②「月経困難症」を参照いただきたい（GO 83ページ）。

漢方治療よさじ

月経周期が確立していれば、OC・LEPの投与は問題ないとされるが、保護者の了解を得られない場合も多い。そのような場合には漢方治療は便利である。詳細はchapter 2-①「月経前症候群（PMS）・月経前不快気分障害（PMDD）」を参照いただきたい（GO 68ページ）。

お菓子みたいな漢方「小建中湯（しょうけんちゅうとう）」

漢方薬のイメージとしては、「苦い」「まずい」といった言葉が最初に思い浮かぶ。子供用の漢方であるだけあって、実は**小建中湯**（しょうけんちゅうとう）は甘くておいしい。**大建中湯**（だいけんちゅうとう）もそうであるが、**小建中湯**（しょうけんちゅうとう）にも飴（膠飴（こうい））が入っていて甘いだけでなく、大棗（たいそう）（ナツメ）・甘草（かんぞう）（食品添加物で甘味料として使用）が入っている。桂皮（けいひ）はシナモンであり、全体ではシナモン入りのお菓子のようになる。なかには甘すぎて嫌というような、辛口の女子高生もたまに見かけるが、普通は内服できないことはない。ちなみに苦くてまずい生薬の代表としては、黄連（おうれん）、呉茱萸（ごしゅゆ）が挙げられる。これらも、最初は苦くて抵抗感があるが、通常は数日で味に慣れてくる場合がほとんどである。

■引用・参考文献

1) ACOG Committee Opinion No. 760: Dysmenorrhea and endometriosis in the adolescent. Obstet Gynecol. 2018 Dec;132(6):e249-e258.

2) Yoshimi K, Matsumura N, Takeda T. When and how do adolescent girls in Japan become aware of premenstrual symptoms from menarche? A cross-sectional study among senior high school students. BMJ Open. 2021 ; 11(8) : e045215.

3) Takeda T, Koga S, Yaegashi N. Prevalence of premenstrual syndrome and premenstrual dysphoric disorder in Japanese high school students. Arch Womens Ment Health. 2010 ;13（6）: 535-7.

9 不妊症

主な症状

不妊

患者さんからの訴え

・子どもができない。

問診

- ・不妊期間は？
- ・年齢は？
- ・月経周期は？
- ・性交渉の頻度は？
- 漢 ・気力が低下していないか？
- 漢 ・ストレス症状はないか？

アプローチ

不妊症とは、生殖年齢の男女が妊娠を希望し、避妊することなく通常の性交渉を1年間継続的に行っているにもかかわらず、妊娠しないことをいう。35歳以降では加齢による妊娠率低下を認め、6カ月間妊娠しなければ、専門医への受診が必要である。ここでは、排卵誘発といった積極的な介入を行う前の、タイミング法などの基本的な不妊治療について示す。

一次検査として、月経周期を評価するとともに、排卵機能評価ならびに黄体機能評価として簡単な基礎体温（BBT）測定を行う。ホルモン検査として、月経周期3～7日目に卵胞刺激ホルモン（FSH）、黄体ホルモン（LH）、エストラジオール（E_2）とプロラクチン（PRL）を測定する。性交渉のタイミングとしては、排卵2日前が最も妊娠率が高く、排卵の時期を予測することが必要となる。予測の簡便な方法としては、BBTからの予測（低温相最終日が排卵日）、頸管粘液の性状（患者の自覚でも「さらさら」「透明になる」）、市販の尿中LHキット（LH陽性後2日以内に排卵）があり、これらを組み合わせて用いる[1)]。性交渉の頻度は連日や隔日の方が週に1回よりも妊娠率が高く、禁欲する必要はない。やせ（BMI 19以下）、肥満（BMI 35以上）では妊娠率が低くなり、可能であれば食生活などにより改善する。喫煙は不妊率を上げるだけでなく、妊娠へも悪影響を及ぼすため、禁煙指導を行う。過度の飲酒（1日20g以上の総アルコール摂取）[2)]やカフェイン摂取（コーヒー1日5杯）は不妊率を上げるが[3)]、適度の摂取では問題ないとされる。

不妊治療では、女性だけでなく男性因子の検索も重要である。男性不妊症の原因の多くは精巣機能障害で、特発性が多いことから、造精能を改善する薬物療法がしばしば実施される。副作用の少ない非内分泌療法が最初に選択されることが多く、ビタミン剤やカリジノゲナーゼにならんで漢方治療が選択されることも多い。

漢方治療
ふたさじ

不妊治療は、体外受精などのいわゆる生殖補助医療（assisted reproductive technology；ART）により目覚ましい進歩を遂げた。その一方で、患者・家族への負担は大きく、令和4年4月からの保険適用開始により経済的な負担は軽減したが、精神面でもかなりのストレスが生じる。心理面でのサポートも重要である。

漢方治療ひとさじ

漢方治療医学では、不妊の原因は**瘀血**であると考え、「女性の3大処方」である**駆瘀血剤**を使用する。漢方治療概念における生殖能力・老化を調節する臓器である「**腎**」の不調とも考えられ、「**腎**」を補う**補腎剤**を使用する。不妊に対して**当帰芍薬散**、**加味逍遙散**、**桂枝茯苓丸**、**八味地黄丸**を用いる。倦怠感に対して**六君子湯**を使用する。

1 当帰芍薬散

頭痛、めまい、肩こり、体に水がたまりやすいこと（浮腫傾向）を処方の特徴とする。不妊患者では、適応となる場合が多い。妊娠中にも継続投与可能であり、妊娠維持に対する**安胎薬**としての効果を期待して歴史的には広く使用されており、安全性も高いと思われる。着床不全ラットモデルを用いた検討からは、**当帰芍薬散**が胚の着床に必須の因子である白血病抑制因子（LIF）を介して、着床不全を改善することが報告されている[4)]。

不妊症の人には、体質的には「**脾**」（胃腸機能）が弱っている人が多いので、投与により胃もたれする場合がたまにある。胃もたれするなら、後述の

六君子湯を併用するとよい。

2 加味逍遙散

「逍遙」は訴えが移ろうことを意味し、不定愁訴に対する代表処方と言える。不妊からのストレス症状を認める場合には、ファーストチョイスとなる。

構成生薬の牡丹皮は妊娠中の投与を避けることが推奨されており、妊娠が判明した時点で投与を終了する。

3 桂枝茯苓丸

漢方治療医学的には**駆瘀血剤**の代表とされる。**瘀血**症状が強く、どちらかというと下腹部のはり感といった身体症状が強い場合によい。

構成生薬の牡丹皮、桃仁は妊娠中の投与を避けることが推奨されており、妊娠が判明した時点で投与を終了する。

4 八味地黄丸

漢方薬のアンチエイジング剤とされるが、「**腎**」を補うという意味で不妊症へも応用できる。どちらかというと、卵の質に対する改善効果を期待する。

構成生薬の附子は妊娠中の投与を避けることが推奨されており、妊娠が判明した時点で投与を終了する。

■注意点

地黄による胃もたれに注意する。

5 六君子湯（りっくんしとう）

不妊治療を必要とする人は、どちらかというと全体的に虚弱な印象を受ける人が多いように思われる。食欲がなくて、何となく体がだるい場合に、**補剤**として上記に併用する。

漢方治療ふたさじ

男性不妊を表す概念としては、「**腎虚**（じんきょ）（腎が虚した状態）」が当てはまる。治療には、「**腎**」を補う薬剤（**補腎剤**）が使用される。別の補う薬剤としては、「**気**」を補う薬剤（**補剤**）も使用される。ストレスは男性不妊に対して悪影響を及ぼす。抗ストレス作用のある柴胡（さいこ）を含有する薬剤を使用する。男性不妊関連に保険適用のある薬剤と病名を示す（**表9-1**）。

表9-1　男性不妊に関連した処方と保険病名

病名	薬剤
陰萎	八味地黄丸、補中益気湯、柴胡加竜骨牡蛎湯、桂枝加竜骨牡蛎湯
遺精	桂枝加竜骨牡蛎湯
性的神経衰弱	桂枝加竜骨牡蛎湯

1 八味地黄丸（はちみじおうがん）

補腎剤として汎用される。女性の場合と同様に、地黄（じおう）の副作用である胃もたれには注意が必要である。動物実験において、精子数、運動率、精巣上体重量、副腎重量の増加効果が報告されている[5)]。

2 補中益気湯

補剤として汎用される。特発性男性不妊患者に対して**補中益気湯**を3カ月間投与して、投与前後の精子濃度と運動率を比較したところ、有意な改善効果を認めている[6]。

3 柴胡加竜骨牡蛎湯

抗ストレス作用のある柴胡に加えて、他の安定作用のある生薬である竜骨、牡蛎が含まれる。また、熱を冷ます生薬である黄芩が含まれる。イメージとしては、もともと体力のある人が仕事をしすぎた結果、ストレスがかかって不調となっている場合に使用する。クラシエ社製には大黄が入っており、下剤作用があることに注意が必要である。

4 桂枝加竜骨牡蛎湯

より神経衰弱状態が強い場合に使用される。この処方も竜骨、牡蛎を含有

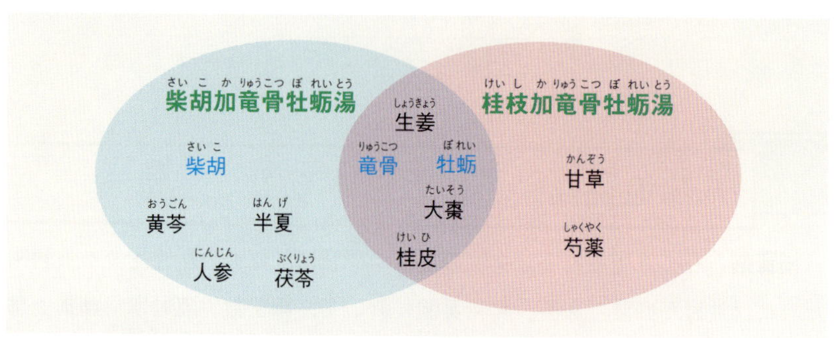

図9-1　柴胡加竜骨牡蛎湯と桂枝加竜骨牡蛎湯の構成生薬

しており、**桂枝加竜骨牡蛎湯**を構成する生薬の大部分は、**柴胡加竜骨牡蛎湯**に含有される（**図9-1**）。

漢方治療みさじ

頻回の通院のため、日常生活が不妊治療のためだけに流れていくような人も多い。ストレス症状の改善に、漢方は安全性からも使用しやすい。男性不妊の場合にも使用可能である。ストレス症状が強い場合には**抑肝散**を使用する。鍼灸治療の併用を試してみてもよい。このようなタイプの患者さんの場合には、治療開始後数周期で意外と妊娠する場合が多いように思われる。

1 抑肝散

もともとは、子どもの夜泣きや**疳の虫**に対する処方として用いられてきた。漢方での概念である「**肝**」は「情動・自律神経」といった意味合いを持ち、感情の安定化に効果を示す。**加味逍遙散**と作用が似るが、**加味逍遙散**にはない構成生薬である釣藤鈎には鎮静・鎮痙効果があり、全体的に緊張が強くて、顔の筋肉がピクピクしたような人に使用するとよい（chapter 2-①、**図1-2**を参照GO 77ページ）。上記の**加味逍遙散**との併用でもよい。

当帰芍薬散はセロリ？

解散してしまったSMAPに「セロリ」という名曲があるが、歌詞の中でセロリの好きな女性と嫌いな男性を取り上げている。好き嫌いの代表として歌になるくらいであり、セロリを嫌いな日本人は実際に多いと思われる。構成生薬の川芎（せんきゅう）はセロリと同じセリ科の植物である。そのため、**当帰芍薬散**（とうきしゃくやくさん）はセロリの味とにおいがする。私は、処方する前には、念のためセロリを食べられるかどうかを確認するようにしている。

セロリが嫌いでも、「セロリ」の歌詞のように、「がんばってみてよ少しだけ〜」。

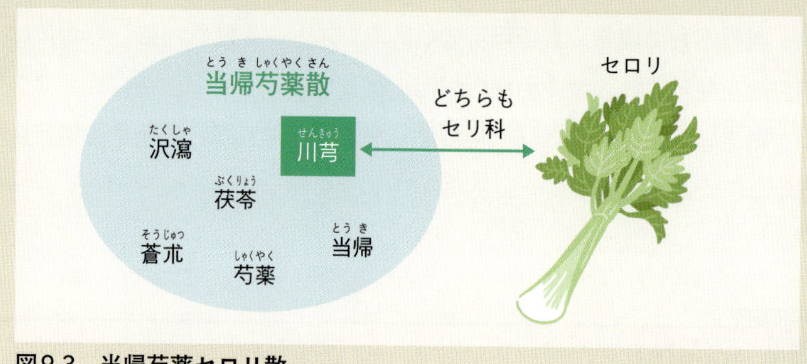

図9-3　当帰芍薬セロリ散

■引用・参考文献

1）Practice Committee of American Society for Reproductive Medicine in collaboration with Society for Reproductive Endocrinology and Infertility. Optimizing natural fertility: a committee opinion. Fertil Steril. 2013；100（3）：631-7.

2）Eggert J, Theobald H, Engfeldt P. Effects of alcohol consumption on female fertility during an 18-year period. Fertil Steril. 2004；81（2）：379-83.

3）Bolúmar F1, Olsen J, et al. Caffeine intake and delayed conception: a European multicenter study on infertility and subfecundity. European Study Group on Infertility Subfecundity. Am J Epidemiol. 1997；145（4）：324-34.

4）Terawaki K, Saegusa Y, et al. The ameliorating effects of tokishakuyakusan in a rat model of implantation failure involves endometrial gland leukemia inhibitory factor and decidualization. J Ethnopharmacol. 2021 ; 265 : 113288.

5）Wang Y, Murayama C, et al. Effects of Hachimijiogan, a Kampo powder, on epididymidis sperm characteristics in healthy male rats. Reprod Med Biol 2014 ; 14（1）: 33-8

6）Furuya Y, Akashi T, Fuse H. Effect of Bu-zhong-yi-qi-tang on seminal plasma cytokine levels in patients with idiopathic male infertility. Arch Androl. 2004 ; 50（1）: 11-4

10 妊娠悪阻

主な症状

嘔気　嘔吐　倦怠感

患者さんからの訴え

- 食事のにおいをかいだだけでむかつく。
- 食事を食べると嘔吐してしまう。
- 朝の調子が悪い。

問診

- 妊娠何週か？
- 症状が出現してからどれくらいか？
- 漢 もともとの胃腸の丈夫さは？
- 漢 ストレスがかかるようなことはあるか？

アプローチ

妊娠中ならではの病態であり、症状の軽いもの（いわゆる「つわり」）は治療の対象とはならない。妊娠16週頃までには、自然に改善する場合が多い。少量頻回の食事摂取と水分補給を促す。このような食事指導でも改善せず、経口摂取ができないことによる脱水や飢餓状態が出現する（尿検査でのケトン体陽性）ならば、補液が必要となる。食事からのビタミンB_1摂取が欠乏するとウェルニッケ脳症を来す場合があり、ビタミン製剤（特にビタミンB_1 100mg/日）による補充が必要である[1)]。ビタミンB_6（10～25mgを1日に3～4回投与）の嘔吐への有効性も報告されている[2)]。制吐薬（プリンペラン®10mg静注・筋注）を使用してもよい。

妊娠そのものへの不安が背景にあって妊娠悪阻を増悪させている場合もある。特にコロナ禍にあって、妊婦の心理的苦痛がかなりのものであることには注意が必要である[3)]。妊娠悪阻は一時的なものであり、ずっと持続するものではないことを妊婦に理解してもらうのも重要である。難治性で症状が持続するときには、妊婦の置かれている社会的な背景を含めて十分な情報を得る必要があり、メンタル面からのサポートが求められることもある。

漢方治療ひとさじ

薬害で大きな問題となったサリドマイドが妊娠悪阻に使用された薬物であったことを考えると、古来、妊娠悪阻に対する安全な治療薬が存在していたこと自体が漢方治療の素晴らしさを証明している。**小半夏加茯苓湯**（しょうはんげかぶくりょうとう）を使用する。もともと胃腸虚弱がある場合には、**六君子湯**（りっくんしとう）を使用する。

1 小半夏加茯苓湯（図10-1）

つわり（妊娠悪阻）に使用する。半夏、茯苓、生姜の3種類の生薬から構成される。半夏では腸管蠕動亢進作用や制吐作用が報告され、茯苓には利尿作用に加えて抗潰瘍作用が報告されている。半夏、茯苓ともに胸のつかえた感じをすっきりさせる。生姜は「しょうが」のことであるが、半夏の副作用をなくすために加えられているほかに、制吐作用が報告されている。たった3種類の生薬から構成される非常にシンプルな処方であるが、全体的には健胃、制吐作用に優れた製剤と言える。2,000年前に考えられた医療ではあるが、人類の経験則のすごさに感心させられる。

また、ほとんどの漢方製剤でお湯に溶かした温服が推奨されているのに対して、**小半夏加茯苓湯**は冷水での服用が勧められている。嘔気・嘔吐が激しい場合には、少量ずつ内服するとよい。凍らせて、口の中で溶かしながら内服してもよい。

2 六君子湯（図10-1）

胃炎全般に使用可能であるが、半夏、茯苓、生姜といった**小半夏加茯苓湯**の成分が丸ごと含まれている。さらに、人参、陳皮、大棗といった胃の不調を助ける成分がプラスされている。漢方製剤では一般的に、ある特定の症状を緩和するには、構成生薬の数が少ない方が作用は強くなることが多い（ピンポイントで症状を抑える）。もともと胃が丈夫だが、妊娠して初めて胃部の不調が悪阻の嘔気・嘔吐として現れた場合には**小半夏加茯苓湯**を使用し、もともと胃弱な上に妊娠悪阻が重なった場合には**六君子湯**を使用するとよい。

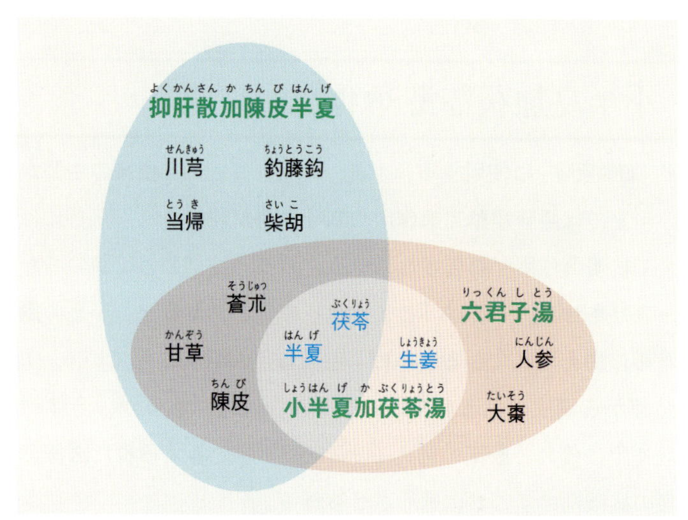

図10-1　六君子湯と抑肝散加陳皮半夏、小半夏加茯苓湯の構成生薬

漢方治療ふたさじ

メンタル面からのサポートが必要な場合は、**小半夏加茯苓湯**や**六君子湯**に**抑肝散加陳皮半夏**を併用する。

1　抑肝散加陳皮半夏

最近では認知症の周辺症状の緩和に汎用されるため、高齢者の漢方薬のイメージが非常に強いが、もともと子どもの**疳の虫**や夜泣きに対する処方であり、精神安定作用に優れる。陳皮、半夏は**六君子湯**に含まれる成分で、抗ストレス作用に胃薬の作用がプラスされている。**図10-1**に示すように、**六君子湯**との一番の違いは、柴胡や釣藤鈎といった精神安定作用のある生薬が含まれている点である。

「妊娠中に内服してはいけない漢方薬は?」

医療用エキス製剤の添付文書では、妊娠中に投与禁止となっている処方はなく、ほとんどが「治療の有益性が危険性を上回ると判断される場合にのみ投与すること」と記載されている。「投与しないことが望ましい」とされているものとして、大黄、芒硝、紅花、桃仁、牡丹皮を構成生薬として含むものが挙げられる。これらは、下剤作用や**瘀血**の改善作用のある生薬となる。流産・早産を引き起こす危険性が言われているが、そのような裏付けはなく、ほとんど問題ないように思われる。牡丹皮は、婦人科の月経困難症などでの汎用処方である、**加味逍遙散**、**桂枝茯苓丸**に含まれている。妊娠が判明した時点で念のため中止するのがよいと思われる。

漢方薬は人類の歴史の中で、経験的に毒性の強いものは使用されなくなってきた可能性が高く、特に**小半夏加茯苓湯**のように、古来、妊娠中でも汎用されてきた処方に関しては、安全性は極めて高いことが推測されるが、残念ながら確かなデータまでは存在しない。100%安全とまでは言えないので、妊娠初期の器官形成期には必要最低限の使用にとどめておくのは西洋薬と同じだと思われる。

■引用・参考文献

1) Day E, Bentham PW, et al. Thiamine for prevention and treatment of Wernicke-Korsakoff Syndrome in people who abuse alcohol. Cochrane Database Syst Rev. 2013；(7)：CD004033.

2) Einarson A, Maltepe C, et al. Treatment of nausea and vomiting in pregnancy: an updated algorithm. Can Fam Physician. 2007；53（12）：2109-11.

3) Takeda T, Yoshimi K, et al. Association Between Serious Psychological Distress and Loneliness During the COVID-19 Pandemic: A Cross-Sectional Study with Pregnant Japanese Women. Int J Womens Health. 2021 ; 13 : 1087-93.

11 妊娠中の感冒

主な症状

咳　鼻汁　鼻閉　咽頭痛　頭痛

患者さんからの訴え

- 咳が出て、おなかが苦しい。
- 鼻づまりしたり、鼻汁が出たりする。
- 喉が痛い。

問診

- 妊娠何週か？
- 症状が出現してからどれくらいか？
- 漢 普段の胃腸の状態はどうか？
- 漢 胃もたれしやすいか？
- 漢 喉の乾燥感の程度は？

アプローチ

妊娠中のマイナートラブルの中で、外来や救急外来で最も頻回に遭遇する疾患と言える。普通感冒に対する根本的な治療法がないのは非妊時と同様であり、対症的な治療が中心となる。

薬物投与において留意すべきことは、器官形成期の催奇形性と、薬物そのものの胎児への悪影響である。前者に関しては、妊娠初期での薬物投与は極力避けなければならない。一般的には、妊娠中期以降であれば器官形成が終了しており、心配いらない。後者に関しては、解熱鎮痛薬による動脈管早期閉鎖に注意する。器官形成期が終了した後の投与の方が注意を要する。

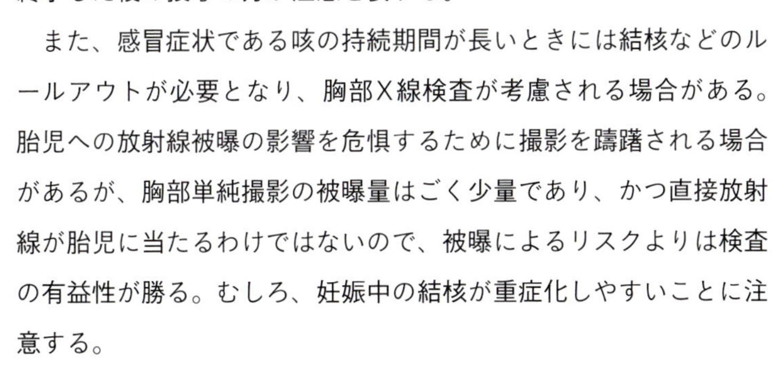

また、感冒症状である咳の持続期間が長いときには結核などのルールアウトが必要となり、胸部X線検査が考慮される場合がある。胎児への放射線被曝の影響を危惧するために撮影を躊躇される場合があるが、胸部単純撮影の被曝量はごく少量であり、かつ直接放射線が胎児に当たるわけではないので、被曝によるリスクよりは検査の有益性が勝る。むしろ、妊娠中の結核が重症化しやすいことに注意する。

妊娠中のインフルエンザ感染は、非妊時とは違って、心肺機能悪化により入院が必要となるリスクが高い。感染予防のためのインフルエンザワクチン接種の母体・胎児への危険性は極めて低く、流行期間であればワクチン接種が推奨される。また、感染時の抗インフルエンザウイルス薬投与は利益が不利益を上回るとされている。COVID-19感染に関しても、妊婦の重症化が明らかとなっており[1]、日本産科婦人科学会は妊婦に対する新型コロナウイルスワクチン接種を推奨している。2022年3月時点で新たに開発された、経口抗新型コロナウイルス薬に関しては、動物実験での催奇性が認められて

おり、妊娠中の投与は禁忌である。

漢方治療ひとさじ

感冒は、胎児への薬剤の影響を危惧して、代替的に漢方治療を選択する代表疾患と言える。有名な**葛根湯**(かっこんとう)は体力のある人、胃腸の丈夫な人向きであり、妊娠できるような元気な人の場合には大概は問題なく内服できる場合が多いが、ある程度の注意が必要である。誰に対しても投与しやすいのは**参蘇飲**(じんそいん)である。咳には**麦門冬湯**(ばくもんどうとう)を使用する。こじれた咳にもよい。西洋薬の感冒薬が解熱鎮痛作用を中心としているのに対して、漢方薬の感冒薬は体を温めて発汗を助けることを目標としており、作用機序が異なる。

1 葛根湯(かっこんとう)

落語の「葛根湯医者」で有名なように、漢方薬の感冒薬の代表選手であるだけでなく、誰でも知っている最も有名な処方である。患者自身が薬局でOTC製剤を購入して内服するケースも多いと思われる。発症の初期に使用し、カバーする症状も幅広い。実際の産科の臨床でも妊婦に対して広く使用されているが、構成生薬の麻黄(まおう)は発汗作用が強く、虚弱な状態である妊婦に対しては適さない場合もある。構成生薬に胃薬である大棗(たいそう)も含まれており、ほとんどの場合には問題なく内服できるが、下記の**参蘇飲**(じんそいん)の方が麻黄(まおう)を含有せずマイルドであり、無難な処方と言える。**葛根湯**(かっこんとう)で胃もたれして内服できないようなら、**参蘇飲**(じんそいん)や**桂枝湯**(けいしとう)に切り替えるとよい。

産褥においては、乳汁うっ滞による乳腺炎に対して使用される。局所の発赤・疼痛に対する緩和効果がある。

漢方の感冒薬には麻黄が含まれている場合が多いが、エフェドリンが麻黄から抽出されたものであることからもわかるように、麻黄の使用には比較的注意を要する。交感神経刺激作用があり、副作用として動悸、頻脈、興奮、不眠が現れる場合があり、症状が出るようなら減量あるいは中止する。

2 参蘇飲

漢方の感冒薬としては、前述の**葛根湯**があまりにも有名であるが、**葛根湯**は体力のある人、すなわちある程度は胃腸の丈夫な人向きの製剤であり、実際に妊婦でなくても虚弱な人だと胃もたれして内服できない場合がある。これに対して**参蘇飲**は、構成生薬は12種類と多いが、悪阻に使用する**小半夏加茯苓湯**を構成する半夏、茯苓、生姜（chapter 2-⑩、**図10-1** を参照 GO 148ページ）をすべて含み、胃には非常に優しい処方内容であり、内服できないようなことは少ない。

3 麦門冬湯

咳症状を示す感冒に使用する。麻黄を構成生薬に含まず、使用しやすい。妊婦の空咳に使用するとよいとされている。**麦門冬湯**には喉をうるおす作用があり、痰が切れにくい咳に使用する。咳止めのメジコン®（デキストロメトルファン）で喉の乾燥感がしばしば認められるが、**麦門冬湯**を併用すると緩和される。こじれた感冒の咳にも使用するとよい。

漢方治療ふたさじ

インフルエンザに関しては、漢方治療は補助的なものとなる。**麻黄湯**の併用を考慮する。

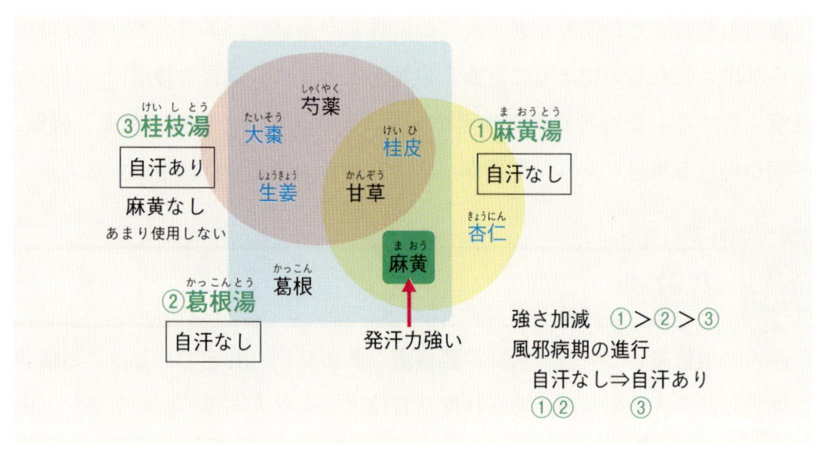

図11-1　急性期の風邪に用いる漢方いろいろ

1　麻黄湯

文字通り麻黄を含有する。**図11-1**に感冒の代表的な処方である**麻黄湯**、**葛根湯**、**桂枝湯**を示す。汗が出ていなければ**麻黄湯**や**葛根湯**を使用し、汗が出ていれば**桂枝湯**を使用する。これは、風邪の病期の進行に合わせたもので、発症の初期には汗が出ておらず寒気がした状態を示す。麻黄には強い発汗力があり、**桂枝湯**には麻黄が含まれていない。**葛根湯**には大棗が含まれており、これは胃薬としても作用するため、**麻黄湯**よりはマイルドに作用する。したがって、**麻黄湯**は症状の激烈なインフルエンザのような場合に使用する。少数例での検討ではあるが、タミフル®やリレンザ®と**麻黄湯**とを比較したランダム化比較試験があり、症状改善効果で非劣性が報告されている[2)]。ただし、妊娠中には効果の確立された抗ウイルス薬がファーストチョイスであり、**麻黄湯**は併用を考慮する。

Column

「漢方の原料となる生薬は天然物ですが、農薬や放射線は大丈夫ですか?」

東日本大震災における福島原発の事故以降によく聞かれる質問である。特に妊娠中の患者にとっては心配だと思われる。生薬はほとんどが植物の根・葉やキノコで、中国産のものでは農薬、日本産のものでは放射線を心配される方が多い。アメリカでは薬ではなく代替医療として漢方が使用されているため、品質管理がどうしても不十分となり、中国から輸入された生薬・漢方に農薬や重金属が残留していて問題となったことがある。日本では、病院処方の漢方エキス剤は大手製薬メーカーで作られた工業製品なので、原材料の品質管理は厳密に行われている。その中で農薬や放射線などはチェックされており、心配する必要はない。昔からの煎じ薬（自分で生薬を煮出して作る漢方薬）に関しても、大手の生薬メーカーのものは、農薬、放射線ともにチェックされている。一方で、中国や韓国から直接輸入されたものやサプリメントとして売られているものに関しては、どこまで検査・管理が実施されているかは不明確であり、ある程度の注意は必要である。

■ 引用・参考文献

1) Allotey J, Stallings E, et al. Clinical manifestations, risk factors, and maternal and perinatal outcomes of coronavirus disease 2019 in pregnancy: living systematic review and meta-analysis. BMJ. 2020 ; 370

2) Saita M, Naito T, et al. The efficacy of ma-huang-tang（maoto）against influenza. Health. 2011 ; 3（5）: 300-3.

12 妊娠に伴うマイナートラブル

主な症状

下腹部のはり　頭痛　めまい　便秘　皮膚掻痒感

患者さんからの訴え

・下腹部がはって常に硬い感じがする。
・妊娠してから便が出にくい。
・皮膚がかさついて、かゆい。

問診

・妊娠何週か？
・症状が出現してからどれくらいか？
・出血や帯下の増量の有無は？
漢・むくみやすさの程度は？
漢・ストレスがかかるようなことはあるか？

アプローチ

妊娠中には非妊時とは異なるさまざまな愁訴が出現する。大きく分けて、妊娠そのものの影響による愁訴と、妊娠に伴うホルモン的な変化による愁訴の2つがある。

前者は下腹部のはり（子宮収縮感）で、切迫早産との鑑別が必要となる。出血や帯下の増量は子宮頸管の変化を疑わせる所見である。実際に子宮収縮を認めても、分娩進行が見られないケースも多く、子宮頸管長の短縮がなければ経過観察となる。外来で投与されるリトドリン経口剤は子宮収縮の自覚を減少させるが、妊娠期間を延長するエビデンスはない。

妊娠中の便秘は、妊娠中期までは黄体ホルモン分泌亢進に伴う腸管平滑筋弛緩と、増大した子宮による腸管への機械的な圧迫により引き起こされる。生活習慣として、食物繊維の摂取と水分摂取を推奨する。薬物治療では、酸化マグネシウムがファーストチョイスとされる。習慣性がなく安全性も高い。次に刺激性下剤であるラキソベロン®（10滴より開始）が用いられる。腸管からの吸収がほとんどないため安全性が高い。

妊娠中の湿疹・痒疹治療の基本は、内服薬ではなく外用剤となる。ステロイドではstrong以下が推奨される（アルメタ®、キンダベート®など）。very strong（ネリゾナ®、マイザー®など）は短期間の使用にとどめ、症状が改善すればstrong以下へ切り替える。ひどいかゆみに対しては、中期以降であれば経口剤で抗ヒスタミン薬を併用する。

漢方治療ひとさじ

リトドリンが切迫早産薬として湯水のように投与されるが、β刺激剤は肺水腫を起こし得るため、投与には注意が必要である。経口剤でも動悸や手指振戦といった副作用により、患者のQOLが障害される場合も多い。ヨーロッパでは経口剤の承認が取り消されている。**安胎薬**である**当帰芍薬散**を使用する。

1 当帰芍薬散

婦人科領域の汎用処方でもあり、「女性3大処方」の一つである。おそらく、産婦人科医であれば誰でも名前くらいは聞いたことがある処方であろう。産科領域では、もともと**安胎薬**とされ、妊娠の継続・維持を助けるとされている。おそらくは妊娠中の投与経験の最も多い処方と思われ、安全性も高い。妊娠に伴う**気血水**の変化を**図12-1**に示す。**当帰芍薬散**は**血虚**・**水滞**に対する改善効果が強く、妊娠の病態にマッチした内容であることがわか

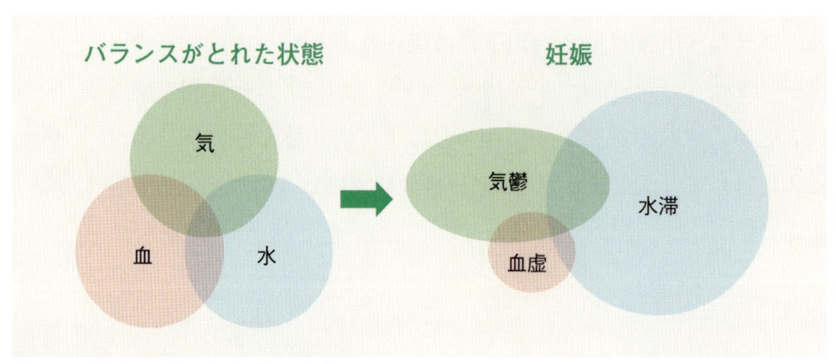

図12-1 妊娠に伴う気血水の変化

る。構成生薬である芍薬は筋弛緩作用があり、腹部緊満に伴う痛みを緩和する。症状的には体に水がたまりやすいこと（**水滞**＝浮腫傾向）を特徴とする。蒼朮、沢瀉、茯苓といった**利水**効果のある生薬が含まれる。めまい、頭痛、肩こりは漢方治療医学的には浮腫傾向に伴う症状であり、妊娠中のこれらの症状に対しても使用できる。

漢方治療ふたさじ

酸化マグネシウムやラキソベロン®でのコントロールが難しい場合には、**大建中湯**を使用する。

1 大建中湯

外科領域での術後イレウスに対する処方で有名であるが、妊娠中の便秘への応用が可能である。酸化マグネシウムを否定するものではないが、弛緩性の便秘に対しては**大建中湯**が有効である。山椒、人参、乾姜、膠飴から成り立つ。山椒はピリリと辛いサンショウ、乾姜は生姜の乾したもの、膠飴はアメである。腸管血流を増やすことにより、腸管運動を正常にする。われわれのデータでも、ヒトに対する投与において、上腸間膜静脈の血流増加作用を認めている（**図12-2**）[1]。

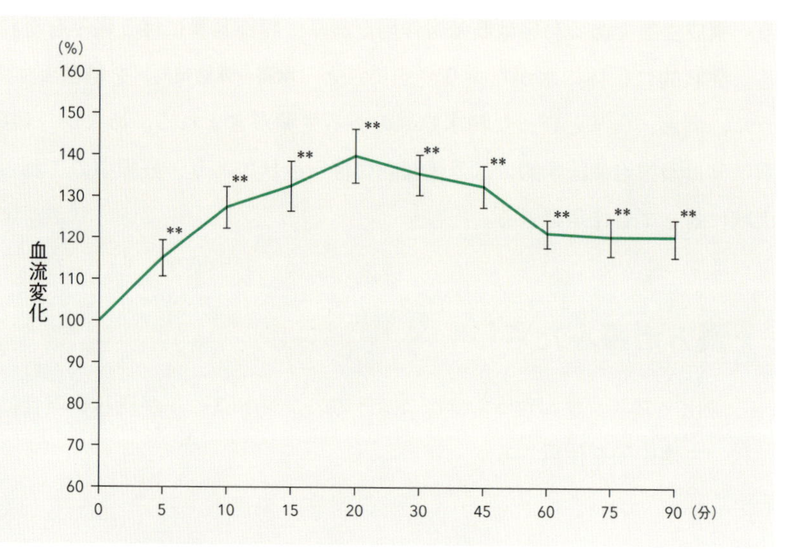

図12-2　大建中湯の血流に与える影響（文献1より改変）
大建中湯エキス顆粒5.0gを健常人に1回投与後、超音波ドプラで血流を測定したところ、大建中湯はヒト上腸間膜動脈の血流を増加させた。

漢方治療みさじ

妊娠時以外でも、漢方薬は皮膚疾患へ応用できる。**温清飲**を使用する。

1 温清飲

皮膚の掻痒感全般に使用可能であり、妊娠性掻痒疹に用いるとよい。**四物湯**という「**血**」を増やして皮膚を丈夫にする成分と、**黄連解毒湯**という熱を冷まして炎症を抑える成分とが合体した処方である（**図12-3**）。赤みがきつくて炎症が強ければ、**温清飲**に**黄連解毒湯**を合わせてもよい。**黄連解毒湯**は苦くて評判の悪い処方の代表選手である。地黄(じおう)は胃にもたれる場合があり、胃部症状が出るようであれば、減量するか中止する。

図12-3　温清飲の構成生薬

■ 引用・参考文献

1) Takayama S, Seki T, et al. Changes of blood flow volume in the superior mesenteric artery and brachial artery with abdominal thermal stimulation. Evid Based Complement Alternat Med. 2011；214089.

13 マタニティブルーズ・産後うつ

主な症状

おちこみ　不安感　情緒不安定

患者さんからの訴え

- わけもなく涙が出る。
- 体がだるい。
- 育児が心配。
- 子どもがかわいくない。
- 自分は母親として失格である。

問診

- 睡眠の状態は？
- 漢 胃の調子は？

アプローチ

産褥期にはホルモン変動のために、うつ症状が出現しやすい。産褥早期（分娩後2週間以内）には、多くの褥婦が一過性の軽いうつ症状（マタニティブルーズ）を示すことが多い。軽度の抑うつ感、不安感、集中力低下などを示し、涙もろさが特徴である。一過性であることを理解してもらい、家族の育児への協力を促す。2週間以上持続する場合や、明らかな精神症状を示す場合には専門医へ紹介する。

漢方治療
ひとさじ

産後うつ病は、褥婦の5～10％に認められ、抑うつ感、不安感、不眠を認め、子どもに対する愛情の欠如や母親としての役割が果たせないことに対する自責の念や、育児への不安・恐怖を訴える。スクリーニングとしてエジンバラ産後うつ病自己評価票（EPDS）**（表13-1）**[1]が使用される。9点以上で産後うつ病の疑いと判断する。スクリーニングで陽性であれば、専門医の診断・治療を仰ぐ。

表13-1　エジンバラ産後うつ病自己評価票（EPDS）日本語版

産後の気分についておたずねします。あなたも赤ちゃんもお元気ですか。最近のあなたの気分をチェックしてみましょう。今日だけでなく、過去7日間にあなたが感じたことに最も近い答えに○をつけてください。必ず10項目全部に答えてください。

1. 笑うことができたし、物事の面白い面もわかった
   (0) いつもと同様にできた
   (1) あまりできなかった
   (2) 明らかにできなかった
   (3) 全くできなかった
2. 物事を楽しみにして待った
   (0) いつもと同様にできた
   (1) あまりできなかった
   (2) 明らかにできなかった
   (3) ほとんどできなかった

3. 物事がうまくいかない時、自分を不必要に責めた
(3) はい、たいていそうだった
(2) はい、時々そうだった
(1) いいえ、あまり度々ではなかった
(0) いいえ、全くそうではなかった
4. はっきりとした理由もないのに不安になったり、心配したりした
(0) いいえ、そうではなかった
(1) ほとんどそうではなかった
(2) はい、時々あった
(3) はい、しょっちゅうあった
5. はっきりとした理由もないのに恐怖に襲われた
(0) いいえ、そうではなかった
(1) ほとんどそうではなかった
(2) はい、時々あった
(3) はい、しょっちゅうあった
6. することがたくさんあって大変だった
(3) はい、たいてい対処できなかった
(2) はい、いつものようにうまく対処できなかった
(1) いいえ、たいていうまく対処した
(0) いいえ、普段通りに対処した
7. 不幸せな気分なので、眠りにくかった
(3) はい、ほとんどいつもそうだった
(2) はい、時々そうだった
(1) いいえ、あまり度々ではなかった
(0) いいえ、全くそうではなかった
8. 悲しくなったり、惨めになったりした
(3) はい、たいていそうだった
(2) はい、かなりしばしばそうだった
(1) いいえ、あまり度々ではなかった
(0) いいえ、全くそうではなかった
9. 不幸せな気分だったので、泣いていた
(3) はい、たいていそうだった
(2) はい、かなりしばしばそうだった
(1) ほんの時々あった
(0) いいえ、全くそうではなかった
10. 自分自身を傷つけるという考えが浮かんできた
(3) はい、かなりしばしばそうだった
(2) 時々そうだった
(1) めったになかった
(0) 全くなかった

(文献1より転載)

漢方治療ひとさじ

マタニティブルーズには、いわゆる「産後の肥立ちが悪い」状態に対して使用されてきた漢方製剤を使用する。産後の不調全般に**芎帰調血飲**を用いる。体力低下や倦怠感には**十全大補湯**を用いる。不安感には**女神散**や**加味帰脾湯**を用いる。

1 芎帰調血飲

ツムラのエキス製剤はないが、太虎堂のものを使用できる。構成生薬が13種類と多く、**瘀血**や**血虚**に対する効果だけでなく、「**気**」をめぐらせたり、補ったりする効果も期待できる（**図13-1**）。**気血水**からみた妊娠中から産褥への変化を示す（**図13-2**）。妊娠中にみられる**水滞**症状はなくなり、産

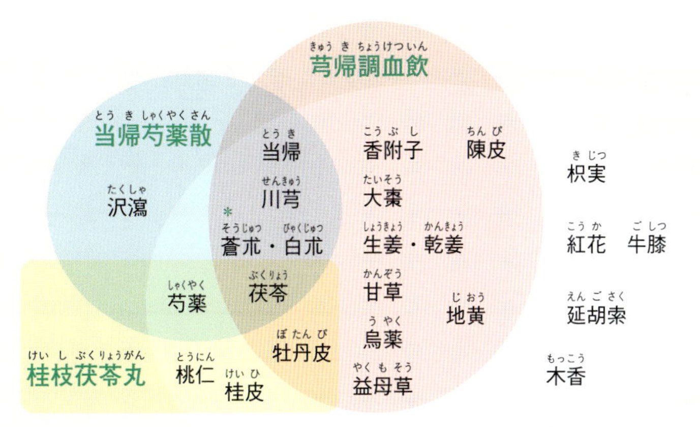

図13-1　芎帰調血飲、当帰芍薬散、桂枝茯苓丸と芎帰調血飲第一加減の構成生薬

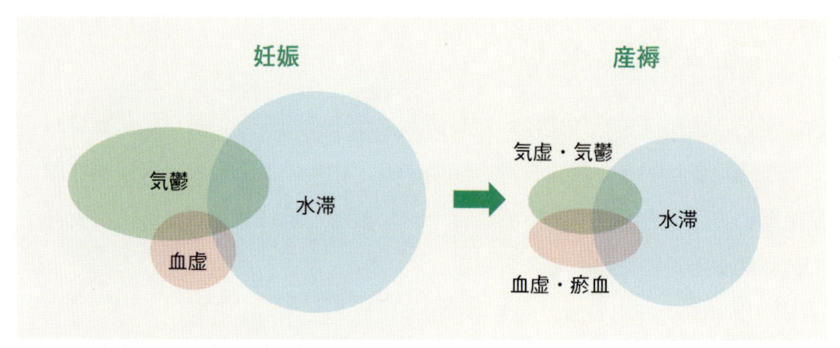

図13-2 妊娠から産褥に伴う気血水の変化

後には**血虚・気虚**症状が増悪する。**芎帰調血飲**はちょうどこのような変化に対応できるように、**当帰芍薬散**のかなりの部分を含み、これに「**血**」を増やす地黄、「**血**」をめぐらせる牡丹皮や益母草が、さらに「**気**」を増やす大棗や甘草が追加されていることがわかる。このように、「**血**」や「**気**」に対する効果が強化されていることがわかる。

女性のさまざまな不定愁訴を診療していると、分娩をきっかけとして発症しているケースがしばしば見られる。そのような際に応用を試みてもよい。強化版の**芎帰調血飲第一加減**という薬剤もあるが、病院処方のエキス剤はない（コラムを参照GO 169ページ）。

■注意点

地黄が含まれており、胃もたれに注意する。

2 十全大補湯

産後の倦怠感に使用できる。産後は**血虚**症状を合併している可能性が高く、「**気**」を補う**補中益気湯**よりは、「**血**」と「**気**」の両方を補う**十全大補湯**を使用する。

■**注意点**

地黄が含まれており、産後で体が衰弱している場合には胃もたれに注意する。

3 女神散

江戸時代に日本でつくられた処方で、戦争による神経症に対して使用された。抗不安作用が強い。**加味逍遙散**の強力版と考えればよい。人参により「**気**」を補い、当帰により「**血**」を補い、産褥の**血虚**・**気虚**に対応できる。クラシエ社製のものには下剤作用のある大黄が含まれており、下痢に注意する。

4 加味帰脾湯

十全大補湯と同様に、「**気**」と「**血**」の両者を補う。地黄を含まない「**血**」を増やす薬剤であり、**十全大補湯**の地黄で胃もたれする場合に使用するとよい。精神安定作用に優れ、抗不安作用も強い。

漢方治療ふたさじ

産後うつ病に対しては、向精神薬の投与が優先される。患者は乳汁への移行を気にするが、実際には選択的セロトニン再取り込み阻害薬（SSRI）などの向精神薬が乳汁へ移行し乳児が曝露されるのは治療域レベルの1/10以下であり、児に対して問題となることはない。ただしセルシン®の長期投与では、児の傾眠傾向や発育不全が報告されており、注意が必要である。

漢方は、これらの西洋医学的な治療の補助として併用し、**芎帰調血飲**、**十全大補湯**を用いる。不眠症状に対して**抑肝散**を用いる。

1 抑肝散（よくかんさん）

認知症の周辺症状に対する治療効果で有名な薬剤であるが、漢方での概念である「**肝**（かん）」は「情動・自律神経」といった意味合いを持ち、感情の安定化に効果を示す。もともとは、子どもの夜泣きに対する治療薬である。母児がお互いに影響し合うことを考えて、両者の精神の安定化を図ることによる治療効果増強のため、母児に同時に投薬したり、授乳中であれば乳汁移行を期待して投薬されてきた（**図13-3**）。経験的には、児に対する安全性は確認されていると考えられる。

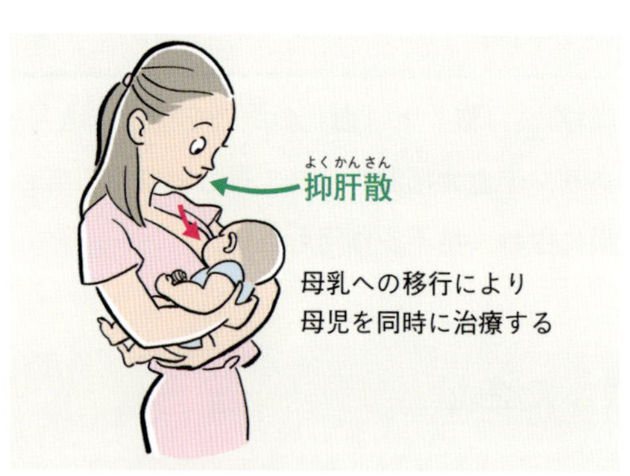

図13-3　抑肝散の作用

芎帰調血飲第一加減

芎帰調血飲から、さらに構成生薬を21種類に増やしたもので、残念ながら病院処方のエキス剤は存在しない（**図13-1**）。**桂枝茯苓丸**も完全に構成生薬として含み、本当にこんなに欲張ってもいいのかと思われる処方であるが、昭和初期に日本で考案された処方である。いろいろ試しているうちに、このような形になったのであろうか？ 実際に、産後の神経症に対して処方してみると、**芎帰調血飲**の強力版といった印象を受ける。エキス剤で運用していると、1剤での効果が不十分で、2剤3剤と処方を重ねていくことが多く、こんなことをしていいのかと心配になる場合もあるが、**芎帰調血飲第一加減**をみていると、多剤併用も間違った投与方法ではないのであろうと思われる。

■ 引用・参考文献

1) Cox JL, Holden JM．産後うつ病ガイドブック：EPDSを活用するために．岡野禎治ほか訳．東京，南山堂，2006，97p.

14 婦人科がん治療後の腹部愁訴

主な症状

腹痛　嘔気　下痢　便秘　下血

患者さんからの訴え

・腹部に引きつるような痛みが周期的にある。
・下痢と便秘を繰り返す。
・腹部に膨満感がある。

問診

・術式は？（リンパ節郭清の有無、広汎子宮全摘か単純子宮全摘かなど）
・放射線治療は行っているか？
漢・便通の状態はどうか？
漢・腹部の冷感の程度は？

アプローチ

婦人科がん治療後には、開腹手術による術後腹部愁訴をしばしば認める。子宮摘出に加えて、リンパ節郭清を実施している場合には障害度が強くなり、特に傍大動脈リンパ節郭清を実施している場合には、腸管運動障害を来しやすく、しばしばサブイレウス状態に陥る。食事面では、消化の悪い物の摂取を避けるよう指導する。薬物治療では、整腸薬や緩下剤による排便調節を図る。腹部膨満感を訴える場合には、消化管運動機能調整剤（ガスモチン®）を投与する。

術後追加治療として、腹部放射線治療が実施されている場合には、腸管の血流障害がひどく、放射線性腸炎といった病態を示す。下痢と便秘を繰り返し、消化管出血からの血便を認める。食事指導や排便調節を図るが、根本的な治療法はない。

漢方治療ひとさじ

腹部愁訴に対応できる漢方製剤は多い。腹部膨満感には**大建中湯**を用いる。上腹部の愁訴には**六君子湯**を用いる。下痢症状には**啓脾湯**を用いる。下腹痛には**当帰建中湯**を用いる。

1 大建中湯

「○×建中湯」という、一群の漢方製剤がある。「**中**」とは、漢方では胃腸を意味しており、胃腸の機能を立て直す薬を意味する。山椒、人参、乾姜、膠飴から成り立つ。山椒はサンショウのことで、乾姜は生姜の乾したもの、膠飴はアメで、腸管血流を増やすことにより、腸管運動を正常にする。腹部

大建中湯は医療費削減に貢献する

大学病院においても開腹手術後のイレウス対策に**大建中湯**は汎用される薬剤となっており、近畿大学病院では漢方製剤処方数ナンバーワンが**大建中湯**である。大腸がん術後患者を対象として、**大建中湯**投薬の有無による医療費を比較検討した面白い研究が報告された（**図14-1**）[1]。**大建中湯**投与群では、非投与群と比較して、術後の退院率の向上を認め、その結果として治療に伴う総医療費の有意な軽減を認めた（1人当たり平均で約3,000ドル＝約30万円の軽減）。一般的に漢方製剤の薬価は安く、**大建中湯**の1日薬価も、15g投与の場合で約140円と安い（ツムラ**大建中湯**エキス顆粒の場合）。実臨床では、7.5gでもかなりの効果を認めることから、半量投与される場合も多く、その場合には約70円とさらに安くなる。

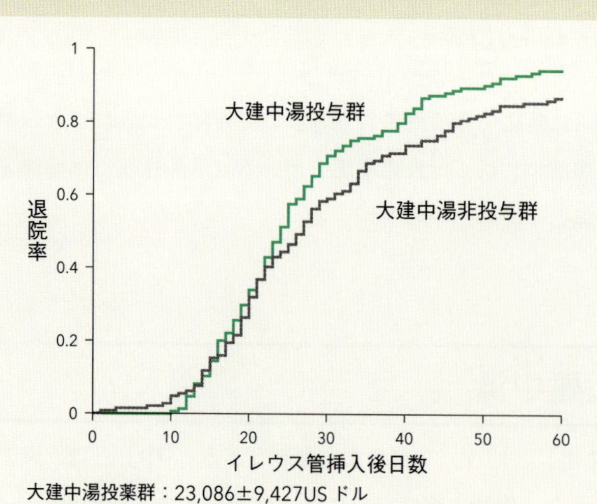

図14-1　大建中湯による入院期間短縮、医療費抑制効果（文献1より改変）

を温める作用が強い。ツムラのほとんどのエキス剤では、1日3包で7.5gが最大投与量であるが、**大建中湯**は1日6包で15gまで投与できる。

2 六君子湯

食後しばらくしても、胃の中で水の音がポチャポチャしているような、胃の排出能が低下している場合に用いるとよい。どちらかというと、上腹部の不定愁訴に用いる。グレリンによる食欲増進効果もあり[2)]、がん治療後の患者にぴったりである。

3 啓脾湯

作用的には**六君子湯**と同様に、漢方の概念である「**脾**」(消化機能)を助ける。強力な**六君子湯**と考えてよく、**六君子湯**と共通する生薬が多い(**図14-2**)。構成生薬の山楽は山芋、蓮肉ははすの実であり、滋養強壮的な作用だけでなく、止瀉作用がある。山査子はサンザシの実で、ドライフルーツや薬

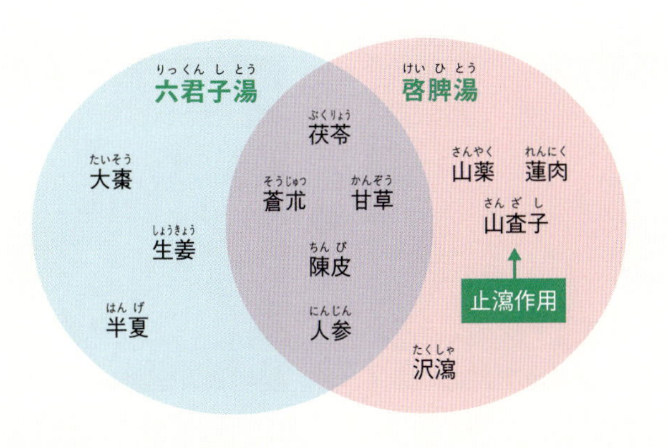

図14-2　六君子湯と啓脾湯の構成生薬

膳の食品としても使用されるが、生薬の作用としては止瀉作用がある。

4 当帰建中湯（とうきけんちゅうとう）

大建中湯（だいけんちゅうとう）と同じ仲間の建中湯の一種であり、胃腸の状態を立て直す。腸管から来る痛み全般に対して使用できる。

漢方治療ふたさじ

西洋薬においても、放射線治療に対する標準治療は確立されてない。**大建中湯**（だいけんちゅうとう）を用いる。

1 大建中湯（だいけんちゅうとう）

子宮頸がんの術後放射線治療による放射線性腸炎に伴う腹部膨満症状に対して、**大建中湯**（だいけんちゅうとう）が著効した症例がある。客観的治療効果評価として、腹部

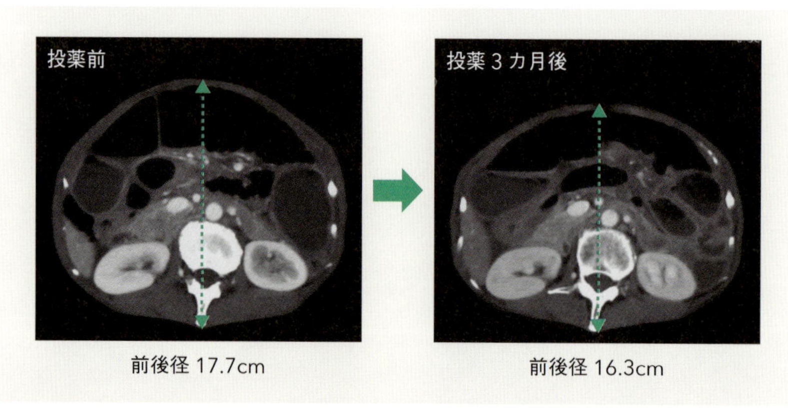

図14-3　大建中湯投薬による腹部横断面前後径の変化（文献3より改変）

表14-1　Rachmilewitz scoreの変化

clinical activity index	投薬前	3カ月後
便の回数	3	2
血便の程度	2	0
全体的な臨床症状	3	2
腹痛	2	1
発熱	0	0
検査所見（貧血、炎症）	4	4
計	14 →	9

（文献3より改変）

CTの同一レベルで腹部横断面前後径を測定すると、投薬前が17.7cmに対し、投薬3カ月後は16.3cmと改善を認めた（**図14-3**）[3)]。また潰瘍性大腸炎の病状評価に用いられるスコアであるRachmilewitz scoreのclinical activity indexを用いて評価すると、投薬前が14点であったのに対して、投薬3カ月後は9点と改善を認めた（**表14-1**）[3)]。

大建中湯の作用機序について基礎研究で多くの検討がなされているが、**大建中湯**が腸管細胞のアドレノメデュリン分泌を促進することにより、抗炎症作用を発揮することが動物実験で明らかとなっている[4)]。腸の炎症性疾患としては、潰瘍性大腸炎やクローン病が代表的であるが、放射線性腸炎も炎症性疾患であり、**大建中湯**には放射線性障害による腸管炎症に対する改善効果が期待できる。

■引用・参考文献

1) Yasunaga H, Miyata H. et al. Effect of the Japanese herbal kampo medicine dai-kenchu-to on postoperative adhesive small bowel obstruction requiring long-tube decompression: a propensity score analysis. Evid Based Complement Alternat Med. 2011；264289.

2) Takiguchi S, Hiura Y, et al. Effect of rikkunshito, a Japanese herbal medicine, on gastrointestinal symptoms and ghrelin levels in gastric cancer patients after gastrectomy. Gastric Cancer. 2013；16（2）：167-74.

3) Takeda T, Kamiura S, Kimura T. Effectiveness of the Herbal Medicine, Daikenchuto, for Radiation-Induced Enteritis. J Altern Complement Med. 2008；14（6）：753-5.

4) Kono T, Kaneko A, et al. Anti-colitis and -adhesion effects of daikenchuto via endogenous adrenomedullin enhancement in Crohn's disease mouse model. J Crohns Colitis. 2010；4（2）：161-70.

15 過活動膀胱

主な症状

尿意切迫感　頻尿　夜間頻尿

患者さんからの訴え

・尿が我慢できない。
・夜間、トイレで目が覚める。
・昼間、トイレにしょっちゅう行く。

問診

・1 日の排尿回数は？
・夜間頻尿の有無は？
漢・普段の胃の調子はどうか？
漢・気力・体力はあるか？
漢・老化に伴う他の症状はないか？

アプローチ

国際禁制学会による過活動膀胱の定義では、尿意切迫感を必須としており、通常は頻尿と夜間尿を伴うものの、切迫性尿失禁は必須ではない。尿意切迫感とは、急に起こる強い尿意で、程度としては我慢できないほど強いものをいう。日本での女性の罹患率は10.8%と報告されている[1)]。恥ずかしいという理由から受診率は低く、泌尿器科よりも内科や婦人科を受診するケースが多い。過活動膀胱症状質問票が診断と重症度分類に有用である（**表15-1**）[2)]。

ルールアウトとして、検尿により尿路感染を、超音波検査により婦人科領域の腫瘍（主に子宮筋腫）からの膀胱圧迫を調べることが必要である。圧迫症状が出るような腫瘤は、経腟超音波でなく経腹超音波でも十分判断できる場合が多い。

治療では、行動療法として膀胱訓練（尿意があってから排尿を我慢する）を行う。薬物療法は第一選択として抗コリン薬を使用する。ホルモン補充療法（HRT）（chapter 2-⑥を参照 GO 109ページ）は全身投与・腟への局所投与ともに症状を改善する。

漢方治療ひとさじ

排尿障害に使用できる漢方薬は意外と多く、作用的にも幅が広い（**図15-1**）。膀胱症状には**猪苓湯**（ちょれいとう）を、加齢に伴うさまざまな症状には**八味地黄丸**（はちみじおうがん）を、しびれ症状が強い場合には**牛車腎気丸**（ごしゃじんきがん）を、胃が弱く、気力が落ちている場合には**清心蓮子飲**（せいしんれんしいん）を使用する。

表15-1　過活動膀胱症状質問票（OABSS）
（日本排尿機能学会「過活動膀胱診療ガイドライン」）

以下の症状がどれくらいの頻度でありましたか。この1週間のあなたの状態に最も近いものを、1つだけ選んで、点数の数字を○で囲んでください。

質問	症状	点数	頻度
1	朝起きた時から夜寝る時までに、何回くらい尿をしましたか	0	7回以下
		1	8～14回
		2	15回以上
2	夜寝てから朝起きるまでに、何回くらい尿をするために起きましたか	0	0回
		1	1回
		2	2回
		3	3回以上
3	急に尿がしたくなり、我慢が難しいことがありましたか	0	なし
		1	週に1回より少ない
		2	週に1回以上
		3	1日1回くらい
		4	1日2～4回
		5	1日5回以上
4	急に尿がしたくなり、我慢できずに尿をもらすことがありましたか	0	なし
		1	週に1回より少ない
		2	週に1回以上
		3	1日1回くらい
		4	1日2～4回
		5	1日5回以上

【過活動膀胱の診断基準】質問3の尿意切迫感スコアが2点以上かつOABSS合計点が3点以上

【過活動膀胱の重症度判定】

軽症：合計点が5点以下／中等症：合計点が6～11点／重症：合計点が12点以上

注1：質問票と回答選択肢が同等であれば、形式はこの通りでなくともよい。

注2：表で対象となる期間を「この1週間」としたが、使用状況により、例えば「この3日間」や「この1カ月」に変更することは可能であろう。いずれにしても期間を特定する必要がある。

（©日本排尿機能学会、文献2より転載）

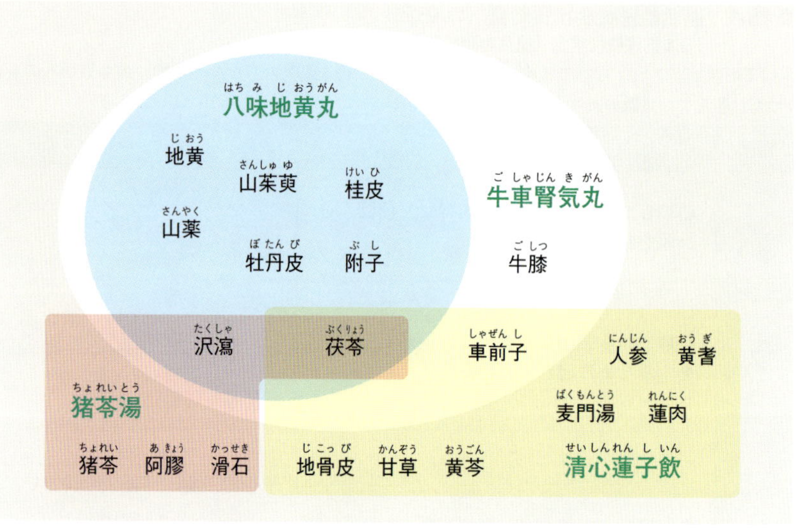

図15-1　猪苓湯、八味地黄丸、牛車腎気丸と清心蓮子飲の構成生薬

1 猪苓湯

急性期の膀胱炎を含めて、排尿障害全般に対する一番ストレートな処方である。構成生薬に止血作用のある阿膠を含んでおり、血尿がある場合にはファーストチョイスとなる。

2 八味地黄丸

漢方治療概念における生殖能力・老化を調節する臓器である「**腎**」を補う処方である（chapter 1-①、**図1-6**を参照 GO 11ページ）。下肢脱力感、疲労感、足腰の冷え、腰痛、夜間の頻尿などの老化に伴う症状全般を目標に使用する。

■注意点

地黄による胃もたれに注意する。

3 牛車腎気丸

八味地黄丸に牛膝と車前子を追加したものである。強力な**八味地黄丸**だと考えればよい。

4 清心蓮子飲

上記3剤とは異なり、人参と黄耆を含む**補剤**（胃腸を助けて元気にする薬）である。また、これらの薬剤と共通する生薬も少ない。蓮肉（はすの実）は精をつけるものであり、全体的に元気にする作用が強い。**八味地黄丸**と同様に「**腎**」を助ける薬剤であるが、地黄を含まず胃もたれの心配がない。**八味地黄丸**や**牛車腎気丸**で胃もたれする場合に切り替えて投与できる。体力・気力の落ちた高齢者の尿症状に対して使用しやすい。

漢方治療ふたさじ

睡眠が悪くて夜間覚醒した結果として、夜間頻尿となる場合もある。睡眠を改善する**酸棗仁湯**を用いる。

1 酸棗仁湯

漢方の睡眠薬である。西洋薬のベンゾジアゼピン系の薬剤の場合には、夜間覚醒時のふらつきからの転倒の危険があるが、漢方の場合にはそのような副作用の心配がない。高齢者に対しても使用しやすい。上記の4剤と併用してもよい。

■ 引用・参考文献

1） 本間之夫．排尿に関する疫学的研究．日本排尿機能学会誌．2003；14（2）：266-77.

2） 日本排尿機能学会過活動膀胱ガイドライン作成委員会編．過活動膀胱診療ガイドライン．第2版．東京，リッチヒルメディカル，2015，105.

16 老年期に起こる諸症状

主な症状

外陰部痛　皮膚掻痒感　腰痛

患者さんからの訴え

・外陰部や腟入口に痛み・かゆみがある。

・性交時に痛みが生じる。

・皮膚がかさついてかゆい。

・腰の痛み、関節痛がある。

問診

・**性器出血はないか？**

・**外陰腫瘤はないか？**

漢・**普段の胃の調子は？**

アプローチ

閉経によるエストロゲン欠落症状により、早期には更年期障害が出現するが、そこから数年遅れて皮膚・筋骨格系のさまざまな愁訴が出現する。エストロゲンは泌尿生殖器粘膜に重要な役割を果たしており、その低下により腟や外陰の萎縮が起こり、萎縮性腟炎を引き起こす。ありふれた症状であるが、受診率が低いのが特徴である。英語でいうと、萎縮性腟炎はvesico vaginal atrophy；VVAであるが、世界的には最近では腟だけでなく泌尿器症状も含めた泌尿生殖器症候群（genitourinary syndrome of menopause；GSM）と呼ばれることが多い。出血や外陰腫瘤を認める場合には、子宮がんや外陰がんのルールアウトが必要である。治療は、エストリオール腟錠による局所投与が優先される。他の更年期症状を認めるようならホルモン補充療法（HRT）の全身投与を併用してもよい。

漢方治療
ひとさじ

皮膚もエストロゲンホルモン欠落により乾燥しやすくなり、しばしば掻痒感を認める。尿素含有の外用薬（ウレパール®など）が使用される。

加齢に伴う腰痛・関節痛といった筋骨格系の諸症状もしばしば認められ、非ステロイド性抗炎症薬（NSAIDs）などによる対処療法が行われる。

漢方治療ひとさじ

外陰や腟の局所症状に対して、**紫雲膏**（しうんこう）を使用する。加齢に伴うさまざまな症状に対して**八味地黄丸**（はちみじおうがん）を使用する。

1 紫雲膏（しうんこう）

日本の花岡青洲が考案した傷薬で、塗る漢方である。保険適用があるのは、肛門裂傷、痔核の疼病と火傷の疼病である。腟・外陰の局所症状に対して使用する。蜜蠟、豚脂、ごま油が入っており、脂分でかなりべたべたする。構成生薬の紫根（しこん）由来の紫色をしており、衣類に付くと取れないので、使用時には注意が必要である。エストリオール腟錠の局所療法でなかなか改善しないような難治性の症例に併用すると奏効する場合がある。

2 八味地黄丸（はちみじおうがん）

漢方治療概念において生殖能力・老化を調節する臓器である「**腎**（じん）」を補う処方である。男性不妊に用いられるために、男性に使用する漢方薬というイメージが強いが、本来は性差に関係なく使用される。下肢脱力感、疲労感、足腰の冷え、腰痛、夜間の頻尿などの老化に伴う症状全般を目標に使用する。漢方のアンチエイジング剤と考えてよい。

■注意点

地黄（じおう）による胃もたれに注意する。

漢方治療ふたさじ

皮膚の掻痒感には**当帰飲子**（とうきいんし）を使用する。

1 当帰飲子

皮膚の乾燥が強い場合に使用する。高齢者以外にも使用するが、高齢者の皮膚掻痒に適応となる場合が多い。

■注意点

地黄による胃もたれに注意する。

漢方治療みさじ

腰痛・関節痛といった筋骨格系の諸症状に対して使用できる漢方製剤は多い。加齢に伴うさまざまな症状に対して**八味地黄丸**を使用する。しびれ症状が強い場合には、**牛車腎気丸**を使用する。膝関節炎の痛みに対して**防已黄耆湯**を使用する。これらの症状全般に**疎経活血湯**を使用する。効果が不十分であれば、**ブシ末**を追加する。

1 八味地黄丸

185ページを参照のこと。附子を含有しており、痛みをとる作用にも優れる（**図16-1**）。

2 牛車腎気丸

八味地黄丸に牛膝と車前子を追加したものである。強力な**八味地黄丸**だと考えればよい（**図16-1**）。

六味丸	八味地黄丸	牛車腎気丸
地黄（じおう）（「血」を補う） 山茱萸（さんしゅゆ）（「血」を補う） 山薬（さんやく）（「気」を補う） 牡丹皮（ぼたんぴ）（「血」をめぐらせる） 茯苓（ぶくりょう）（余分な「水」をひく） 沢瀉（たくしゃ）（余分な「水」をひく）	桂皮（けいひ）（「気」に働く） 附子（ぶし）（温める）	牛膝（ごしつ）（利水作用）（「血」をめぐらせる） 車前子（しゃぜんし）（利水作用）
六味丸（ろくみがん）	八味地黄丸（はちみじおうがん）	牛車腎気丸（ごしゃじんきがん）

図16-1　六味丸、八味地黄丸と牛車腎気丸の構成生薬

3 防已黄耆湯（ぼういおうぎとう）

関節（特に膝関節）の腫脹・痛みに使用する。浮腫の改善による痛み症状の改善を目指す。地黄（じおう）を含有せず、胃もたれの心配が少ない。

4 疎経活血湯（そけいかっけつとう）

構成生薬が17種類と多い。**瘀血**（おけつ）に対する改善効果と痛みをとる作用のダブルの効果がある。地黄（じおう）を含有するが、**八味地黄丸**（はちみじおうがん）や**牛車腎気丸**（ごしゃじんきがん）に比べて量が少なく、胃もたれの心配が少ない。

5 ブシ末（まつ）

温めて痛みをとる作用が強い。上記1～3のそれぞれに併用することにより、作用を増強することができる。（chapter1-④「2. 腹部冷えタイプ③ブシ末」を参照 GO 30ページ）

六君子湯は不老長寿薬

食欲を増進する胃薬として知られる**六君子湯**であるが、老化促進マウスへの投与により、寿命延長効果があることが報告された（**図16-2**）[1]。胃薬としての作用機序ではグレリンを介するメカニズムがわかっているが、この研究でもグレリンの作用によるとされている。近年、加齢やがんなどの疾患に伴う筋肉量減少からの身体機能低下（サルコペニア）が注目されるようになってきた。グレリン受容体アゴニストであるアナモレリンが、がん悪液質に対する治療薬として使用できるようになり、グレリンはサルコペニアにおいても注目されている。この動物実験の結果からも、サルコペニアに対する**六君子湯**の治療・予防効果が期待できる。

一方、補腎剤である**八味地黄丸**や**牛車腎気丸**はアンチエイジング剤であるが、地黄が含有されており、副作用である胃もたれへの注意が必要である。そこで、これら補腎剤に**六君子湯**を併用することにより、副作用対策と効果増強が期待できるのではないかと考える。

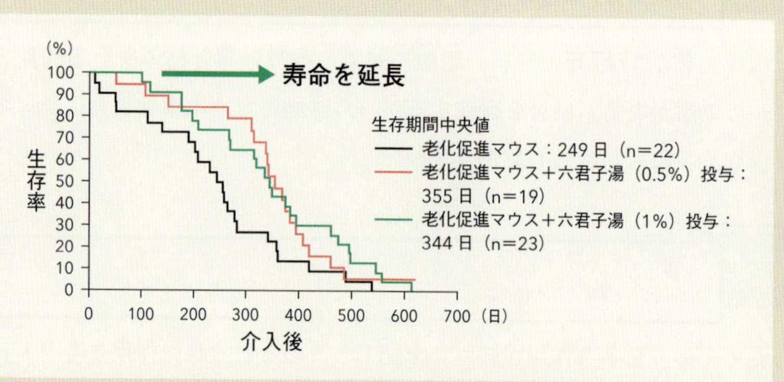

図16-2　グレリンを介した六君子湯の寿命延長効果（文献1より改変）

VVAは放送禁止用語

昔に比べて医学用語の略語が汎用されるようになり、電子カルテで他科のカルテ記載をみても、よくわからないことが多い。VVAである萎縮性腟炎は、一昔前には老人性腟炎と言われていたが、イメージが悪いということで萎縮性腟炎と呼ばれるようになった。略語ではVVAと呼ぶことに慣れてきたら、今度はGSMという言葉が使われ出した。何年か前に国際閉経学会（IMS）に参加した際に、ちょうどGSMのワークショップが行われていた。この疾患は日本ではほとんど認知されていないが、欧米においてもまだまだ一般での認知が遅れているらしい。疾患を一般へ認知させていく上での障壁として、vaginaという単語が欧米のいくつかの国において放送禁止用語となり使用できないことが挙げられていた。その代わりとして、genitourinaryという単語を使用することが提唱されていた。超高齢化社会を迎えた日本こそ、この疾患に対する認知の重要性がますます増大していくことが予想される。

■ 引用・参考文献

1） Fujitsuka N, Asakawa A. et al. Increased ghrelin signaling prolongs survival in mouse models of human aging through activation of sirtuin1. Mol Psychiatry. 2016；21（11）：1613-23.

索引

和文

あ行

阿膠…96
安胎薬…139, 158
安中散…87
萎縮性腟炎…184
イレウス…53, 172
インフルエンザ…151, 154
温清飲…115, 160
エジンバラ産後うつ病自己評価票…163
エストロゲン…13
――欠落症状…125, 184
――製剤…112
嘔気・嘔吐…23, 37, 54
黄連解毒湯…114, 115
オキシトシン…102
瘀血…7, 10, 16, 36, 76, 85, 86, 98, 104, 115, 116, 125, 126, 127, 139, 140, 165

か行

化学療法…53
過活動膀胱…178
――症状質問票…179
過多月経…93
肩こり…128
葛根湯…152
下腹痛…171
加味帰脾湯…25, 45, 46, 56, 77, 119, 121, 129, 167
加味逍遥散…19, 31, 60, 75, 79, 86, 101, 102, 115, 120, 126, 140
肝…11, , 47, 49, 76, 143, 168
間質性肺炎…89
関節痛…186
疳の虫…127, 143, 148
甘麦大棗湯…77, 79
感冒…151
気…9, 19, 75, 126, 129, 141, 165, 167
偽アルドステロン症…78, 87, 89
気虚…7, 9, 116, 167
桔梗湯…24, 56
帰脾湯…56, 107, 119
芎帰調血飲第一加減…169
芎帰膠艾湯…39, 88, 94, 107, 165
胸脇苦満…8, 46
虚弱…133
虚証…75, 85
駆瘀血剤…18, 85, 98, 104, 125, 126, 127, 139, 140
グレリン…173, 188
経口避妊薬…34, 73, 93, 132
桂枝加竜骨牡蛎湯…142
桂枝茯苓丸…20, 21, 31, 60, 76, 80, 86, 98, 126, 140
桂枝茯苓丸加薏苡仁…99, 106
加味帰脾湯…101
啓脾湯…173
下剤作用…20, 75, 76, 114
血…9, 16, 94, 107, 126, 167
血虚…9, 10, 158, 165, 167
月経困難症…84, 132, 104
月経前症候群…13, 42, 68, 69, 132
月経前不快気分障害…68, 69
下痢…171
倦怠感…23, 55
抗ストレス作用…134, 142
向精神薬…167
香蘇散…61

口内炎…24, 56
更年期障害…13, 31, 110, 125, 184
更年期症状評価表…111
抗不安作用…44, 46
抗不安薬…42
牛車腎気丸…55, 181
五臓…11, 15
骨髄抑制…55
骨盤内うっ血症候群…17
こむら返り…128
五苓散…36, 38, 39, 91

さ行

柴胡…8, 19, 46
柴胡加竜骨牡蛎湯…48, 142
柴胡桂枝乾姜湯…49, 128
柴朴湯…91
柴苓湯…62, 91
サルコペニア…32, 188
三黄瀉心湯…20, 114
酸化マグネシウム…157
産後うつ…163, 167
山梔子…119
酸棗仁湯…47
紫雲膏…185
ジエノゲスト…81, 104, 106
ジェミーナ®配合錠…74, 85, 106
四逆…28
四逆散…28
四逆湯…30
子宮筋腫…98
子宮収縮感…157
子宮内膜症…104
四君子湯…95
思春期…131
四診…6, 7
実証…21, 76, 86, 114, 116, 126
しびれ…55, 56
四物湯…115
芍薬甘草湯…87, 127
十全大補湯…9, 53, 55, 95, 166
潤腸湯…20
小建中湯…133, 134
小柴胡湯…63, 89, 91
小柴胡湯加桔梗石膏…91
小児…62, 131
小半夏加茯苓湯…147, 149
小腹急結…8
小腹満…8
静脈血栓塞栓症…39
女性の3大処方…18, 85, 125
自律神経失調症状…110, 125
腎…11, 15, 139, 140, 180, 185
新型コロナウイルス感染症…40, 42, 151
腎虚…116, 141
神経衰弱…142
参蘇飲…153
真武湯…30
水…9, 10
水滞…7, 10, 36, 39, 105, 158
水毒…10, 19, 75, 126
頭痛…36
ステロイド…63, 84, 157
ストレス症状…132, 143
精神神経症状…110, 125
清心蓮子飲…181
精巣機能障害…138
咳…153
切診…6
舌診…7, 16, 18
川芎茶調散…78, 80

選択的セロトニン再取り込み阻害薬…73, 132, 167
疎経活血湯…56, 187

た行

大黄甘草湯…20
大建中湯…20, 53, 159, 172, 174
血の道症…59, 78
遅発初経…132
腸管運動障害…171
腸間膜静脈硬化症…119
釣藤散…128
猪苓湯…180
つわり→妊娠悪阻
低用量エストロゲン・プロゲスチン配合薬…34, 84, 93, 104, 132
天然型黄体ホルモン製剤…113
桃核承気湯…20, 21, 32, 76, 80, 116, 126
当帰飲子…186
当帰建中湯…87, 174
当帰四逆加呉茱萸生姜湯…28
当帰芍薬散…18, 29, 36, 39, 75, 80, 85, 104, 119, 126, 143, 158
トラネキサム酸…93, 94
ドロスピレノン…105, 108

な行

ニキビ…106
乳腺炎…152
尿意切迫感…178
女神散…167
妊娠悪阻…146
人参湯…30
のぼせ…114

は行

麦門冬湯…153
歯痕舌…7
八味地黄丸…116, 129, 140, 141, 180, 185
半夏瀉心湯…24
半夏白朮天麻湯…37
脾…11, 49, 139, 173
冷え…27, 28
冷えのぼせ…31
脾虚…7
非ステロイド性抗炎症薬…84, 104, 184
泌尿生殖器症候群…184
皮膚掻痒感…186
ピル…34
頻尿…116, 129, 178, 189
不安…56, 77, 129, 163
副作用対策
　——がん治療患者の…53
　——抗エストロゲン療法の…25
　——抗がん剤の…23
　——選択的セロトニン再取り込み阻害薬の…　25
腹診…7, 8, 16, 18, 46
腹部愁訴…171
腹部膨満感…171, 174
ブシ末…30, 56, 63, 187
浮腫…105
不正出血…38
不妊（症）…137
　男性——…141
不眠…56, 163
フレイル…32
プロゲステロン製剤…113
聞診…6
閉塞性動脈硬化症…32

ベンゾジアゼピン系薬剤…43
便秘…157, 171
防己黄耆湯…118, 187
放射線性腸炎…174
望診…6
保険診療…59
補剤…23, 46, 56
補腎剤…55, 139, 141
補中益気湯…53, 55, 56, 63, 118, 129, 142
ホットフラッシュ…110, 125
ほてり…114
ホルモン補充療法…111, 125, 178, 184

ま行

マイナートラブル（妊娠中の）…151, 156
麻黄湯…154
麻子仁丸…20
マタニティーブルーズ…163
脈診…7, 8
ミレーナ®…85, 88, 93
むくみ…39
問診…6, 7

や行

ヤーズ®配合錠…73, 79, 105, 106, 108
ヤーズフレックス®配合錠…74, 85, 106
腰痛…186
抑うつ症状…106, 163
抑肝散…47, 57, 76, 79, 127, 134, 168
抑肝散加陳皮半夏…148

ら行

卵巣機能欠落症状…25, 57, 110
利水作用…75, 105, 126, 159
六君子湯…23, 25, 37, 53, 54, 130, 141, 147, 173, 188
リトドリン…157
緑茶由来カテキン…99
ルナベル®配合錠…104
レボノルゲストレル放出子宮内システム→ミレーナ®
六味丸…117
和洋折衷ハイブリッド漢方…4

欧文

COVID-19→新型コロナウイルス感染症
genitourinary syndrome of menopause；GSM→泌尿生殖器症候群
GnRHアゴニスト…98, 100, 110
GnRHアンタゴニスト…98, 100
LEP→低用量エストロゲン・プロゲスチン配合薬
NSAIDs→非ステロイド性抗炎症薬
OC→経口避妊薬
PMDD→月経前不快気分障害
PMS→月経前症候群
premenstrual disorders；PMDs…69
premenstrual symptoms questionnaire；PSQ…71, 72
SSRI→選択的セロトニン再取り込み阻害薬

WEB動画の視聴方法

付属 WEB 解説動画は、WEB ページにて視聴できます。以下の手順でアクセスしてください。

■メディカ ID（旧メディカパスポート）未登録の場合

メディカ出版コンテンツサービスサイト「ログイン」ページにアクセスし、「初めての方」から会員登録（無料）を行った後、下記の手順にお進みください。

https://database.medica.co.jp/login/

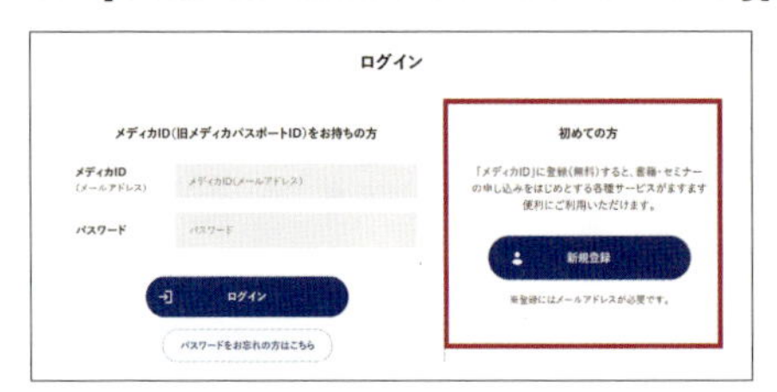

■メディカ ID（旧メディカパスポート）ご登録済の場合

①メディカ出版コンテンツサービスサイト「マイページ」にアクセスし、メディカ ID でログイン後、下記のロック解除キーを入力し「送信」ボタンを押してください。

https://database.medica.co.jp/mypage/

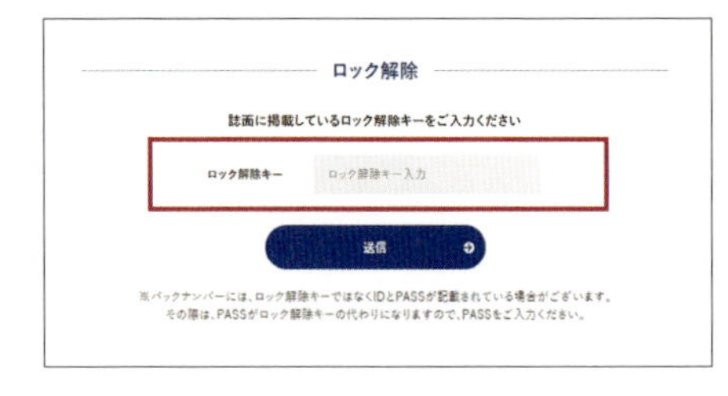

②送信すると、「ロックが解除されました」と表示が出ます。「動画」ボタンを押して、一覧表示へ移動してください。

③視聴したい動画のサムネイルを押して動画を再生してください。

ロック解除キー　op20ma22kt

*WEBページのロック解除キーは本書発行日（最新のもの）より3年間有効です。有効期間終了後、本サービスは読者に通知なく休止もしくは終了する場合があります。

*ロック解除キーおよびメディカID・パスワードの、第三者への譲渡、売買、承継、貸与、開示、漏洩にはご注意ください。

*図書館での貸し出しの場合、閲覧に要するメディカID登録は、利用者個人が行ってください（貸し出し者による取得・配布は不可）。

*PC（Windows / Macintosh）、スマートフォン・タブレット端末（iOS / Android）で閲覧いただけます。推奨環境の詳細につきましては、メディカ出版コンテンツサービスサイト「よくあるご質問」ページをご参照ください。

著者略歴

武田　卓（たけだ　たかし）

近畿大学東洋医学研究所所長・教授
東北大学医学部産婦人科客員教授

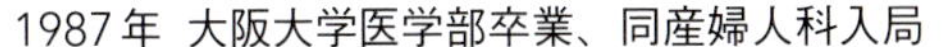

1987年　大阪大学医学部卒業、同産婦人科入局
1991年　大阪大学医学部大学院博士課程入学
　　　　（大阪大学医学部バイオメディカルセンター腫瘍病理へ学内留学）
1996年　大阪府立成人病センター婦人科医員
1997年　大阪大学医学部産婦人科助手
1998年　大阪府立母子保健総合医療センター産科診療主任・医長
2001年　大阪大学医学部産婦人科助教
2004年　大阪府立成人病センター婦人科副部長
2007年　大阪大学医学部産婦人科助教・学内講師
2008年　東北大学大学院医学系研究科先進漢方治療医学講座准教授
2012年　近畿大学東洋医学研究所所長・教授、東北大学医学部産婦人科客員教授

日本産科婦人科学会 専門医・指導医
日本東洋医学会 漢方専門医・指導医
日本内分泌学会 内分泌代謝科（産婦人科）専門医・指導医
日本婦人科腫瘍学会 専門医
日本女性医学会 女性ヘルスケア専門医・指導医
日本女性心身医学会 認定医
日本がん治療認定医機構 がん治療認定医・暫定教育医
日本サルコペニア・フレイル学会・指導士

◉学会活動

日本女性心身医学会 副理事長
日本産科婦人科学会 代議員
日本思春期学会 常務理事
日本内分泌学会 評議員
日本抗加齢医学会 評議員
Evidence-Based Complementary and Alternative Medicine
Editorial Board Member

◉趣　味

音楽
学生時代からフルートと尺八を吹いています。こちらも和洋折衷です。
山歩き（コロナ禍になってから）

近畿大学東洋医学研究所ホームページ　https://www.med.kindai.ac.jp/toyo/

改訂２版 女性診療で使える
ヌーベル漢方処方ノート
―西洋医学＋漢方医学による
診断・治療のすすめかた

2017年４月５日発行　第１版第１刷
2022年８月15日発行　第２版第１刷

著　者　武田 卓
発行者　長谷川 翔
発行所　株式会社メディカ出版
〒532-8588
大阪市淀川区宮原３－４－30
ニッセイ新大阪ビル16F
https://www.medica.co.jp/
編集担当　木村有希子
編集協力　中垣内紗世
装幀・組版　北尾崇（HON DESIGN）
装　画　間宮理恵
本文イラスト　Waco
印刷・製本　日経印刷株式会社

ISBN978-4-8404-7898-4　Printed and bound in Japan

当社出版物に関する各種お問い合わせ先（受付時間：平日9：00～17：00）
●編集内容については、編集局 06-6398-5048
●ご注文・不良品（乱丁・落丁）については、お客様センター 0120-276-115